WESTERN

WESTERN
FREIZEITREITEN IM WESTERNSTYLE

von Silvia Christine Hofmann

CADMOS
PFERDEBÜCHER

Gestaltung: Ravenstein Brain Pool
mit einem Foto von Lothar Lenz
Druck: Westermann Druck Zwickau GmbH

Printed in Germany

ISBN 3-86127-502-3

INHALTSVERZEICHNIS

EINLEITUNG

In den letzten Jahrzehnten entstand aus der Cowboyreiterei eine ausgezeichnete Freizeit-Reitmethode und auch ein anerkannter Turniersport mit vielen verschiedenen Disziplinen. Egal welche Reitweise auch ausgeübt wird - bei dem Umgang mit dem Pferd sind Gefühl und Verständnis für das Lebewesen das Wichtigste, ebenso die Freude am Tun und am Zusammensein, um zu einem fruchtbaren Miteinander mit dem Pferd zu kommen. Überall in der Welt entdecken Menschen, daß die einzigartige Partnerschaft zwischen Mensch und Pferd der richtige Gegenpol zu unserer technisierten und hektischen Welt ist. Heutzutage interessieren sich plötzlich Menschen für Pferde und den Reitsport, die früher keinerlei Beziehung dazu hatten.

Der Pferdenarr ist wißbegierig. Speziell der Western- und Freizeitreiter tut sich schwer, entsprechende Trainer, Reitschulen oder auch nur Bücher zu finden, die ihm das notwendige Wissen entsprechend verständlich anbieten. Was an Büchern über die Westernreitweise angeboten wird, bezieht sich vielfach auf amerikanische Verhältnisse. Sei es, daß in der Wüste um Dornenbüsche galoppiert werden soll, sei es, daß fußballfeldgroße Trainingsbahnen zur Verfügung stehen, um dem Pferd beizubringen, sich nicht an eine Begrenzung anzulehnen. In Amerika sind meist mehrere spezielle Trainingsbahnen in unterschiedlichen Größen vorhanden. Wir deutschen Western- und Freizeitreiter können von solchen Möglichkeiten nur träumen und fragen uns dann, wie wir die amerikanischen Trainingsmethoden am besten auf unsere Verhältnisse umsetzen sollen.

Der größte Fehler dieser Wißbegierigen ist es, die Darstellung von Cowboys in Film und Fernsehen einfach so als korrekte Reitweise anzunehmen. Was uns die Filmhelden vorführen, hat selten etwas mit der richtigen Art der Westernausbildung gemein, beziehungsweise mit dem richtigen Westernreitstil. Man sollte nicht meinen, durch das Anschauen von Westernfilmen das Westernreiten erlernen zu können.

Wie bei jeder anderen Reitweise gibt es auch bei der Westernreitweise gewisse Unterschiede im jeweiligen Training von Trainer zu Trainer. Diese Unterschiede bestehen allerdings nicht in prinzipiell unterschiedlichen Reitmethoden. Das Pferd reagiert auf bestimmte Schenkel- und Gewichtshilfen in einer ihm natürlichen Art und Weise. Allerdings gibt es manchmal mehrere Möglichkeiten der Ausbildung, um zum gleichen Ziel zu kommen. Also gilt es, das Ziel nicht aus den Augen zu verlieren und wach dafür zu sein, mit welchen unterschiedlichen Methoden man es erreichen kann. Diese unterschiedlichen Methoden basieren allerdings immer auf den gleichen Reaktionen des Pferdes auf bestimmte Hilfen.

So versuche ich, dem Anfänger wie dem Fortgeschrittenen klarzumachen, daß es nicht darum gehen kann, die eine Trainingsmethode gut und die andere schlecht zu finden. Es geht darum, zu erkennen, warum der Reiter / Trainer welche Methode anwendet und was er damit bezweckt, und damit verbunden, ob er Erfolg mit seiner Methode hat. Gelingt uns dies, können wir vorurteilslos anderen Trainern und Reitern zuschauen, um unser Repertoire an reiterlichen Möglichkeiten sinnvoll zu ergänzen. Die Basis dazu soll dieses Buch geben.

WESTERNREITEN

Unsere „abendländischen" Reitweisen stammen von den Reitweisen der islamischen Eroberungsheere ab. Vor ungefähr 1300 Jahren drangen die Mauren über Gibraltar auf die Iberische Halbinsel und bis nach Südfrankreich vor. Diese maurische Reitweise hinterließ ihre Einflüsse vor allen Dingen in Spanien. Zu früheren Zeiten gab es fast ausschließlich die Gebrauchsreiterei, bei der Pferde vor allen Dingen leichtrittig sein sollen. Sie müssen physische wie auch psychische Belastungen gleichermaßen gut zu verkraften wissen. Sie müssen gehorsam, willig und einfach zu reiten sein, aber dennoch selbständig arbeiten können. Parallel dazu gab es zeitweise die Reitweise der Adeligen, die nur der Zierde und der Erbauung der Betrachter diente.

Als die Spanier den heutigen Südwesten der Vereinigten Staaten eroberten, importierten sie unter anderem Rinder, Pferde und Schafe. Erst die Nutzung der Pferde ermöglichte es den Menschen, die riesigen Flächen des amerikanischen Kontinents zu besiedeln. Die spanischen Eroberer brachten dementsprechend auch ihren spanischen Reitstil mit, der die heutige amerikanische Reitweise stark geprägt hat.

Aus diesen Umständen geht hervor, daß sich Pferderassen, die hauptsächlich für die Gebrauchsreiterei gezüchtet werden, besonders für den Freizeitreiter, aber auch für den Leistungssport eignen. Aus der Gebrauchsreiterei des Cowboys hat sich das Westernreiten entwickelt. Der Cowboy muß, um seine Arbeit ausüben zu können, auch auf dem Pferd eine Hand frei haben, deshalb ist die einhändige Zügelführung ein auffälliges Merkmal der Westernreiterei. Ein gutes Westernpferd wird in jahrelanger Arbeit so ausgebildet, daß es auf minimale Signale hin vollständige Bewegungsabläufe selbständig ausübt. Es muß schnell und temperamentvoll sein, um Rindern hinterherspurten zu können, dabei aber jederzeit leicht kontrollierbar. Ein gutes Westernpferd ist klein und wendig, belastbar, nervenstark, besitzt angenehme Gänge und einen wachen Intellekt. In Amerika sind seit Jahrhunderten Pferde speziell für diesen Verwendungszweck gezüchtet worden und eignen sich darum so gut dafür wie keine andere Rasse. Was nicht heißen soll, daß es hierbei nicht auch Ausnahmen gibt.

Die Eigenschaften eines guten Westernpferdes, wie Gehorsamkeit, einhändiges Gerittenwerden, Selbständigkeit, Mitdenken, ein natürlicher Cow Sense, die Nervenstärke, Umgänglichkeit, Verläßlichkeit und überhaupt seine Vielseitigkeit zeichnen es nicht nur für den Western-Turniersport, sondern im besonderen auch für den Freizeitreiter aus.

Damit ein Pferd diese aufgezählten Eigenschaften bis zur Vollkommenheit entwickeln kann, ist unbedingt das Vertrauen des Pferdes in den Menschen notwendig. Das Westernreiten im eigentlichen Sinne setzt einen besonders sanften Umgang mit dem Pferd voraus. Wichtig ist die Harmonie und das Vertrauen zwischen Pferd und Reiter. Auch aus diesem Grunde ist das Westernreiten nicht nur die geeignetste Reitweise für den Freizeitreiter, sondern überhaupt die am besten geeignete Methode für den ängstlichen Reitanfänger. Werden Pferd wie Reiter richtig ausgebildet und die Ausrüstung sinnvoll gewählt, bietet dies dem Freizeitreiter eine wunderbar sichere Ausübung des Reitsports, egal ob auf dem Reitplatz, in der Halle oder im Gelände. Und mit dieser sicheren Grundlage können sich daraus auch erstklassige Turnierreiter und Turnierpferde entwickeln.

Bei dieser Art des Reitens lernt der Mensch das kooperative Miteinander im Umgang mit dem Pferd wie auch mit den Mitmenschen. Der Reitschüler erlernt das notwendige Maß an Selbstkontrolle.

Westernreiten ist ein Sport für die ganze Familie, egal ob sie sich auf einem Westernturnier befindet, ob als Reiter oder als Turniertross, eventuell untergebracht im Zelt oder im Wohnwagen, oder ob sie an Wanderritten teilnimmt. Darüber hinaus gibt es auch immer mehr von Verbänden unabhängige Westernreitstammtische, Filmabende, Trainingswochenenden auf verschiedenen Ranches, und darüber hinaus werden auch einfach immer mehr Geländeritte für die Freizeit organisiert. Ein wunderschöner Sport, bei dem man die heutzutage so notwendige positive Erfahrung mit Natur und Tier zusammen mit der ganzen Familie erfahren kann.

WESTERNPFERDE

Um Westernreiten erlernen zu können, braucht man ein geeignetes Pferd. Die Eignung des Pferdes ist nicht nur von der Rasse abhängig, sondern davon, wie leicht lenkbar ein Pferd ist beziehungsweise werden kann. Das Westernreiten ist eine leichte, zügelunabhängige Reitweise, wobei das Pferd leichte weiche Gänge und durchaus ein gewisses Maß an Versammlung haben soll. Das Pferd muß gut mitarbeiten wollen, gutmütig und vor allen Dingen vom Geist her willig sein.

Darüber hinaus sollte das Pferd natürlich vom Körperbau und vom Temperament her für das Westernreiten geeignet sein. Das Westernpferd soll demzufolge zutraulich, gehorsam und leicht zu reiten sein und es soll locker und sanft auf die feinsten Hilfen des Reiters reagieren. Dies setzt bestimmte Anforderungen an ein Pferd voraus, wie eine positive Grundeinstellung und eine ausreichende Kooperationsbereitschaft. Darüber hinaus muß das Pferd physisch und psychisch in Ordnung sein.

Um ein Pferd beurteilen zu können, sollte man es sich zuallererst in einem ausreichenden Abstand von der Seite her ansehen. Das Pferd sollte weder zu kurz- noch zu langbeinig sein. Macht es insgesamt einen harmonischen Eindruck? Die Bauchlinie soll etwa halb so lang sein wie die Rückenlinie, die Entfernung vom Bauch zum Boden in etwa genauso groß wie die der Bauchlinie zur Rückenlinie. Der Kopf sollte große, wachsame, nach vorne gerichtete Augen haben, die Zutraulichkeit und Intelligenz ausdrücken. Ein Pferd mit zu sehr seitlich stehenden Augen kann eine veränderte Wahrnehmung haben, was sich durch Schreckhaftigkeit äußern kann. Gewünscht wird eine gerade Stirn-Nasenlinie und gut angesetzte Ohren, nicht zu groß und nicht zu klein. Eine Faust muß hochkant zwischen Hals und Backenknochen passen, sonst bekommt das Pferd nicht genügend Luft, wenn es in der gewünschten Versammlung geht, bei der es den Kopf etwas tiefer trägt.

Robin Sunny Smoke, ein Paint Horse Wallach. Gut zu sehen die gewünschte gerade Stirn-Nasenlinie und die trockene Maul-Nüsternpartie mit einer kurzen Maulspalte.

Der Hals soll eine leicht gebogene Oberlinie haben, nicht zu kurz und nicht zu lang sein, damit das Pferd sich und den Reiter richtig ausbalancieren kann. Die Schulter sollte gut bemuskelt sein, nicht zu steil, da dies ein Zeichen für harte Gänge ist. Die zu schräg abfallende Schulter wiederum gibt durch den Druck Probleme mit den Beinen und Sehnen. Eine Linie von der Mitte der Schulter nach unten soll genau am Vorderbein hinablaufen und hinter der Fessel auf den Boden treffen. Die Vorderröhre kann beim Westernpferd etwas kürzer sein, da es nicht hoch zu springen braucht. Eine von vorn gezogene Linie vom Buggelenk nach unten soll das Bein genau in der Mitte teilen. Zwischen den Hufen soll eine Hufbreite Abstand sein.

Der Rücken soll kurz und flach sein, die Kruppe leicht abfallend. Eine vom Sitzbeinhöcker zum Röhrbein gedachte Linie sollte auch von hinten gesehen durch die Mitte des Beines bis zum Huf führen.

Das ideale Westernpferd besitzt eine Höhe von 145 bis 155 cm, aber auch etwas größere und kleinere Pferde können bei korrektem Exterieur gute Westernpferde sein.

Das Pferd sollte flache und raumgreifende Bewegungen haben, die einen weichen Eindruck machen. Es sollte keine ausgeprägte Knieaktion besitzen, da es sonst schwer zu sitzen ist. In der Gesamtheit sollte die Bewegung natürlich und ruhig wirken.

Nicht unterschätzen sollte man den Charakter und das Temperament des Pferdes. Die geistige Einstellung sollte auf Zuverlässigkeit, Vertrautheit und Freude am Reiten schließen lassen. Westernreiten für höchste Ansprüche setzt bis auf wenige Ausnahmen amerikanische Rassen voraus, die seit langer Zeit genau für diesen Zweck gezüchtet werden.

Das Exterieur bezeichnet die äußeren Eigenschaften eines Pferdes, wie das Aussehen und das Gebäude, das Interieur die inneren Eigenschaften wie Charakter, Nervenstärke, Temperament, Ausdauer, Leistungswille, Lernfähigkeit u.ä.

Durch ein entsprechendes Studium kann man viel über die Verfassung des Pferdes und seine Anlagen sehen. Kennt man sich nicht so gut aus, daß man sich solch eine Beurteilung zutraut, sollte man sich mit einem Fachmann seines Vertrauens die möglichen Pferde ansehen. Der Verkäufer ist im allgemeinen ein schlechter Ratgeber. Dabei sei allerdings durchaus bemerkt, daß beim Pferdekauf auch der „Funke" überspringen muß. Sicherlich sollte man nicht blind alle Ratschläge eines Fachmannes in den Wind schlagen, aber die letztendliche Entscheidung trifft der künftige Besitzer, der in gutem Einvernehmen mit seinem Pferd leben möchte.

Die typischen Westernpferderassen, die schon seit Jahrzehnten speziell für das Westernreiten gezüchtet werden, sind die Quarter Horses, die Paint Horses (gescheckte Pferde mit Quarter Horse Abstammung) und die Appaloosas. In Deutschland wird auch immer häufiger der typische Warmblüter vor allen Dingen freizeitmäßig im Westernstyle geritten. Im besonderen eignen sich auch viele Kleinpferderassen und Ponys zum westernmäßigen Reiten, wie natürlich auch der Araber, der allerdings nicht nur sensibel, sondern auch psychisch stabil sein sollte.

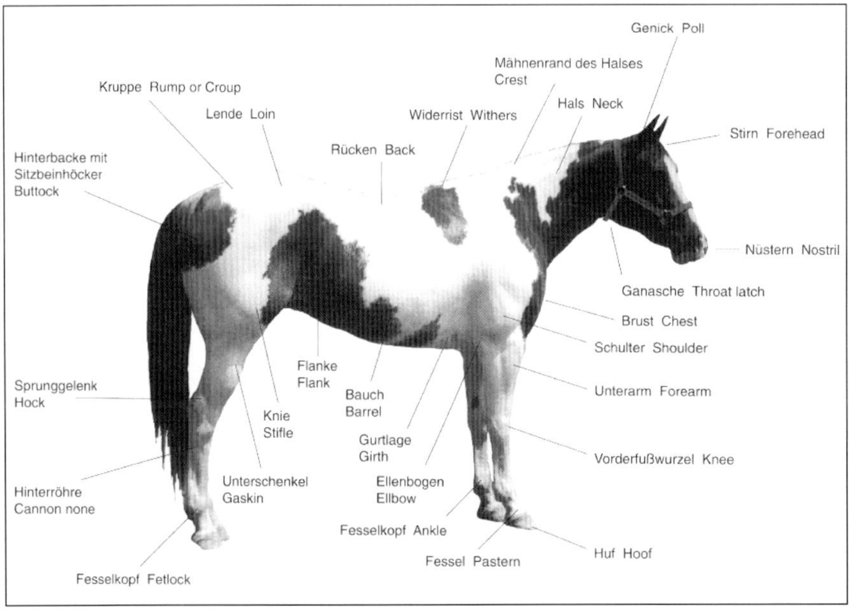

Miracle Misty, eine Paint Horse Stute, vorgestellt auf einer Paint Horse Sale des Bayrischen Westernreit-Centrums am 23.6.1991. Aufgeführt sind die amerikanischen und deutschen Bezeichnungen für die einzelnen Körperteile des Pferdes.

AUSRÜSTUNG

Über die Ausrüstung eines Westernpferdes wird viel diskutiert. Die einen lieben es historisch richtig, andere legen den Schwerpunkt auf Bequemlichkeit, wieder anderen ist nur das Aussehen wichtig - ob das des Pferdes oder des Reiters oder beides zusammen, sei dahingestellt.

In jeder Reitweise hat die Ausrüstung in erster Linie zweckmäßig zu sein. Sie muß Pferd wie Reiter passen und für beide physiologisch richtig angepaßt sein. Der Sattel muß vom Sattelbaum her nicht nur dem Pferd passen, sondern die Sitzlänge muß auch zum Gesäß des Reiters passen. Die Paßgenauigkeit wie die Verarbeitung bzw. die Qualität des Ausgangsmaterials bestimmen, ob das Preis-Leistungsverhältnis korrekt ist. Erst danach sollten persönliche Vorlieben kommen, wie Verzierungen des Sattels oder des Zaumzeuges. Man reitet auf einem gut aufgebauten Sattel und nicht auf Silberchonchas. Es gibt einen großen Markt an wunderschönen Westernausstattungsgegenständen, aber man sollte oben genannte Reihenfolge nie umdrehen. Ein wunderschönes farblich passendes Pad nützt mir nichts, wenn es für meinen Sattel zu klein ist oder die Polsterung nach zweimaligem Waschen anfängt zu klumpen. Außer den wirklich notwendigen Dingen wie Sattel und Zaumzeug gibt es natürlich noch eine Menge an Ausstattungsmöglichkeiten, vor allen Dingen auch für den Reiter. Allerdings sollte jeder daran denken, daß ein Cowboyhut und Chaps noch keinen Westernreiter ausmachen.

Die meisten Ausrüstungsgegenstände bestehen aus Leder. Am häufigsten wird Rinderleder verwendet. Die Tierhäute müssen gesäubert, gegerbt, gespalten und gefettet werden, bevor sie verarbeitet werden können. Dies ist alles ein sehr aufwendiger Prozeß, und da nicht das gesamte Leder einer Tierhaut Verwendung finden kann, sondern möglichst nur das beste, wundert es einen kaum, daß gute Sättel nicht gerade billig sind. Sattelleder sollte eine gewisse Dicke haben, es sollte sich dabei aber weich und leicht ölig anfühlen. Schlechtes Leder fühlt sich hart und trocken an. Die Fender eines Sattels aus gutem Leder lassen sich trotz ihrer Dicke leicht zusammenrollen. Die Farbe des Leders ist sicherlich Geschmackssache, doch ist von schwarzem Leder abzuraten, da es eingefärbt wird und meist minderwertig ist, da die Qualität nach der Färbung nicht mehr so leicht feststellbar ist.

Leder muß gut gepflegt werden, soll es so lange halten, wie es naturgemäß möglich ist. Gepflegtes Leder bei Zaum- und Sattelzeug ist

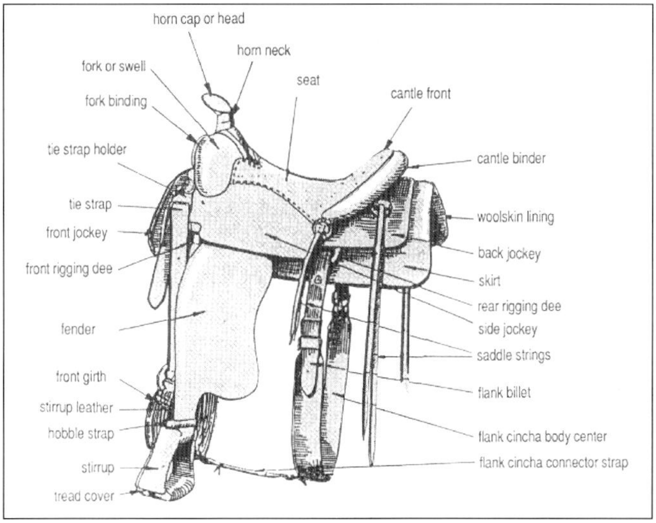

Bezeichnungen der einzelnen Teile des Westernsattels.

auch die Gewähr dafür, daß nicht, natürlich meist zur ungünstigsten Zeit, irgendein Teil reißt und uns in böse Bedrängnis bringen kann. Leder darf nie trocken und brüchig werden. Schmutz und Pferdeschweiß müssen unbedingt vom Leder entfernt werden. Zum gründlichen Reinigen nimmt man die einzelnen Teile auseinander, damit jedes einzelne Stück leicht gesäubert werden kann. Mit einem feuchten, aber nicht nassen Tuch oder Schwamm werden alle Teile gereinigt. Danach kann man die Lederteile mit Sattelseife einreiben. Sattelseife ist trotz ihres Namens keine Seife im herkömmlichen Sinn. Sattelseife enthält unter anderem Glyzerin und ist ein Lederpflegeprodukt. Es wird auf einen sehr wenig feuchten Lappen oder einen Schwamm aufgetragen und in das Leder eingearbeitet. Tritt dabei Schaum auf, ist der Lappen zu feucht. Ist das Lederzeug im Regen naß geworden, oder mußten wir es aus gegebenem Anlaß sehr feucht reinigen, lassen wir die Sachen bei Zimmertemperatur, aber nicht in Heizungsnähe sanft trocknen, bevor wir Pflegeprodukte auftragen. Es gibt außer Sattelseife eine Menge guter Lederpflegeprodukte, die sich dazu eignen. Verschiedene Lederfette, aber auch Lederöl, besonders das hochwertige Neetsfootöl eignen sich hervorragend dazu.

Der Westernsattel

Mit den Vorläufern des heutigen Westernsattels zogen dereinst die Ritter im Mittelalter in

Sattelbäume aus Holz.

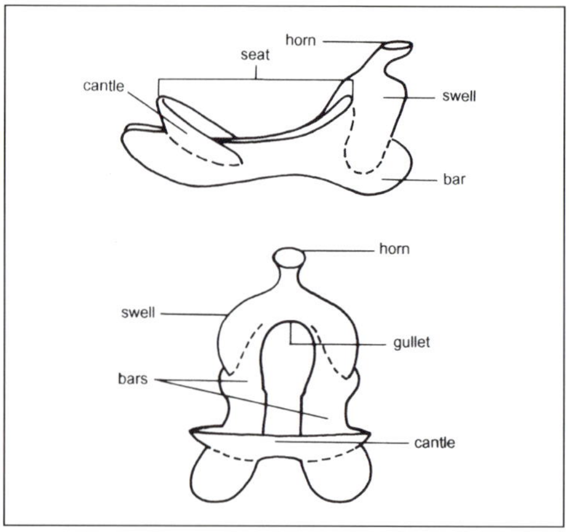

Die einzelnen Teile eines Sattelbaumes.

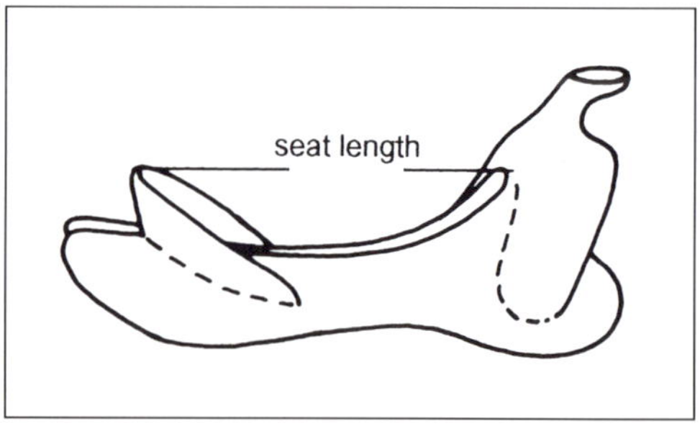

Sitzlänge eines Sattels, verdeutlicht am Sattelbaum.

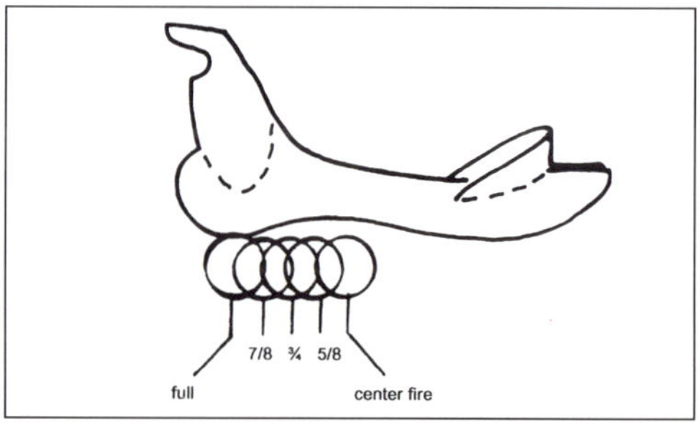

Die unterschiedlichen Rigging Positions eines Westernsattels.

den Krieg. Die spanischen Eroberer haben diesen schweren Sattel, der einen besonders tiefen Sitz ermöglicht, im 16. Jahrhundert auf den amerikanischen Kontinent gebracht. Aus ihm entwickelten sich später die unterschiedlichen Arten der Westernsättel. Auf den ersten Blick fällt bei einem Westernsattel sein hoher Hinterzwiesel auf, der tiefe Sitz und die zurückversetzten Steigbügel, die den charakteristischen

Sitz des Westernreiters mit den besonders langgestreckten Beinen ermöglichen. Aus dem Vorderzwiesel wurde das Sattelhorn, um welches das Rope geschlungen werden kann. Diese Sättel sind echte Arbeitssättel, aus diesem Grund sind sie so besonders widerstandsfähig.

Der Westernsattel, der ursprünglich als reiner Arbeitssattel verwendet wurde, weist vor allen Dingen einen bequemen Sitz auf, in dem man mühelos den ganzen Tag verbringen kann. Darüber hinaus hat er eine besonders gute Auflage auf dem Pferderücken, die ihn auch für das Pferd besonders bequem macht. Der Sattelbaum wird entweder aus Hartholz oder aus Kunststoff hergestellt. Haltbarer ist ein Holzbaum, der mit Rohhaut überzogen ist. Der Westernsattel besitzt eine große Auflagefläche, die das Gewicht des Sattels und des Reiters nicht punktuell, wie der englische Dressursattel, sondern flächig auf den Rückenmuskeln und den Rippen des Pferdes liegen läßt. Aufgrund seiner großen Auflagefläche macht es nichts aus, daß der Westernsattel wesentlich mehr wiegt als ein herkömmlicher Sattel. Selbst Pferde mit empfindlichem Rücken können meist gut mit einem Westernsattel geritten werden, da dieser letztendlich die Rückenmuskulatur entlastet.

Der Westernsattel besitzt statt schmaler Bügelriemen breite Fender, wodurch das Reiterbein keinen direkten Kontakt zum Pferd hat. Da beim Westernreiten allerdings nicht mit konstanten treibenden Hilfen geritten wird, spielt dies keine Rolle. Das Pferd reagiert zum größten Teil schon auf die Bewegung der Fender, bevor der Absatz oder der Schenkel des Reiters überhaupt das Pferd berührt. Die breiten Fender halten die Bügel ständig in einer bestimmten Position, so daß sie sich selbst bei stärkeren Schwingungen nicht verdrehen. Die breiten und schweren Steigbügel sind gerade bei langen Ritten sehr bequem und bieten durch ihre Größe eine hervorragende Sicherheit gegen ein Hängenbleiben im Bügel. Der Westernsattel bietet dem Reiter bei entspanntem Sitz mehr Halt als ein klassisch englischer oder ein Trachtensattel.

Reiningsattel mit Drei-Wege metalloser Gurtung.

Reiningsattel mit Inskirt-Rigging.

Die Sitzgröße sollte dem Gesäß des Reiters entsprechen. Die Länge der Sitzfläche wird in Zoll angegeben. Ein Zoll entspricht 2,54 cm. Normalerweise sind Westernsättel in den Größen 14,5, 15, 15,5 und 16 Zoll erhältlich. Die Sitzlänge wird von der Hornbasis bis zur oberen Cantlekante in gerader Linie gemessen. Traditionell war es bis vor einigen Jahrzehnten üblich, die Westernsättel mit einem Ganzledersitz auszustatten. Heutzutage sind bei vielen Sätteln Teile der Sitzfläche unterpolstert. Bei den gepolsterten Ausführungen benutzt man Wildleder oder besonders dünnes Glattleder als Oberleder des Sitzes. Normale Arbeitssättel sind im allgemeinen mit einem Vollederhartsitz ausgestattet, dadurch sind sie besonders robust gegen extreme Witterungseinflüsse, wie langanhaltenden Regen, der ansonsten die Sattelfläche aufweichen würde. Ist die Sitzfläche eines ungepolsterten Sattels gut gearbeitet, so ist dieser trotz seiner harten Oberfläche bequem zu reiten. Bei den gepolsterten Sätteln wird meist denen mit einem Wildledersitz der Vorzug gegeben, da man dem Wildleder eine größere Haftung zuspricht. Durch ständigen Gebrauch scheuert sich das Wildleder der Sitzfläche allerdings schnell ab, so daß dies höchstens ein kurzer Vorteil für einen Reitanfänger sein kann, der bis zum Blankscheuern hoffentlich gelernt hat, richtig zu sitzen. Der Glattledersitz ist prinzipiell weniger schmutz- und feuchtigkeitsanfällig.

Die Kontur der Sitzfläche kann beim Westernsattel sehr unterschiedlich ausfallen. Ein Westernsattel mit sogenanntem Mittelsitz hat seinen tiefsten Punkt in der Mitte zwischen Fork und Cantle, er hat ein etwas höheres Cantle und eine zur Fork ansteigende Grundsitzform. Der Cantlesitz hat seinen tiefsten Punkt vor dem Cantle, und die Sitzfläche besitzt ebenfalls eine ansteigende Tendenz zur Fork. Der Reiter bringt sein Gewicht dadurch mehr in den hinteren Teil des Sattels, was vermehrt den Pferderücken im hinteren Bereich belastet. Beim Flachsitz verläuft die Sitzfläche nahezu waagerecht, dadurch kann sich der Reiter immer in die ideale Position zu den jeweiligen Pferdebewegungen in den einzelnen Manövern setzen, besonders nötig beim Cutting.

Einem noch nicht allzu sicheren Reiter, der es vorzieht, daß sein Sitz durch den Sattel stabilisiert wird, ist ein Sattel mit einem Mittelsitz, nicht zu niedrigem Cantle und eher etwas kurzer Sitzfläche zu empfehlen.

Der traditionelle Sattel besitzt Gurtungsringe, die an den vorderen und hinteren Bereichen der Trachten direkt befestigt werden. Beim Reiningsattel soll das Gurtungssystem das ungehinderte Vor- und Zurückschwingen der Fender ermöglichen, deshalb wurde ein spezielles Inskirtrigging-System entwickelt, bei dem sich das Gegenstück des Gurtes in den Skirts, den seitlichen Lederflächen des Sattels, befindet. Zur Verstärkung des Leders werden Metall, Rohhaut- oder Lederverstärkungen in die Skirts eingebaut. Durch die verstärkte Belastung der Skirts müssen diese eine zusätzliche, verstärkte Befestigung vorne und hinten an den Trachten haben. Eine moderne Methode ist auch die Drei-Wege-Inskirtrigging. Auch hier sind die Skirts mit Leder und Rohhauteinlage verstärkt. Diese Gurtungsform bringt viel Beinbewegungsfreiheit, da sich nicht zu viele Windungen des Latigo-Gurtungsriemens zwischen Pferdekörper und Reiterbein befinden. Bei Roping- und Cuttingsätteln findet ein hinterer Bauchgurt Verwendung, der verhindert, daß der Sattel bei der Rinderarbeit nach vorne kippt. Diese Sättel sind mit einem Doppelgurtsystem ausgestattet. Der vordere Gurtring wird senkrecht unter der Fork oder von dieser Position aus zwei bis drei Zentimeter nach hinten versetzt angebracht. Der vordere Gurtring liegt meistens etwas tiefer als der hintere. Am vorderen Riggingring ist eine Dreiloch-Leder-Gurtung angebracht. Diese unterschiedlichen Riggingformen bieten je nach Reitstil unterschiedliche Vorteile. Sicherstellen sollte man allerdings auch, daß das Gurtungssystem eine korrekte Positionierung des Sattels auf dem Pferd zuläßt, es also dem Gebäude des Pferdes entspricht. Dazu ist die richtige Anprobe eines Sattels nötig. Man legt den Sattel ohne Pad auf den Pferderücken und rückt ihn dann in die richtige Position.

Der erste Blick richtet sich darauf, ob die Innenseite der Fork auf den Widerrist drückt, die Widerristfreiheit sollte mindestens drei Finger hoch betragen. Schaut man von vorne durchs Gullet nach hinten, darf der Sattel nirgendwo Kontakt mit der Wirbelsäule haben. Damit die Schulter nicht eingeengt wird, muß die Winkelung der vorderen Auflagefläche mit der Schräge der Schulter übereinstimmen. Die flache Hand muß ein wenig unter den vorderen Rand zu schieben sein, sonst ist der Sattel für das Pferd zu eng. Der Sattelbaum sollte gleichmäßig auf der Rückenmuskulatur und den Rippen anliegen. Die hinteren Enden des Sattelbaumes müssen lang genug sein und dürfen nicht punktuell auf die Muskulatur des Pfer-

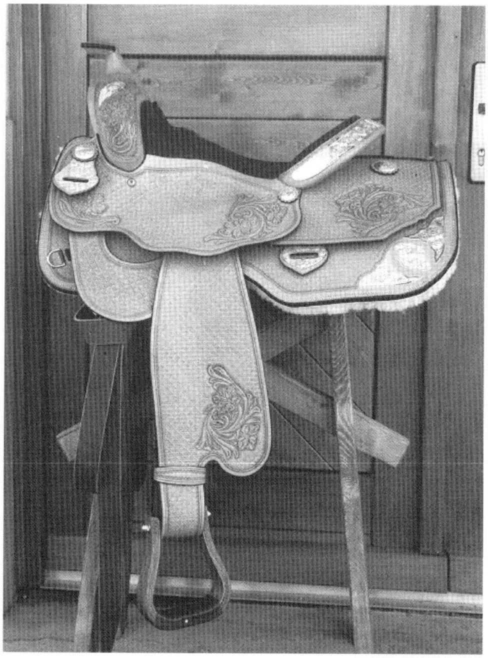

Pleasuresattel - Roger Kupfer.

Reiningsattel - Bernie Hölzel.

derückens einwirken. Auch von hinten betrachtet muß die Winkelung der Trachten im hinteren Bereich der Kontur des Pferderückens entsprechen. Der lose und senkrecht herunterhängende Gurt sollte mit der natürlichen Gurtlage des Pferdes übereinstimmen. Auch mit angezogenem Gurt sollte die Zugachse vom Gurtungsring am Sattel zum Gurtring senkrecht verlaufen. Ist diese Untersuchung positiv ausgefallen, kann man das Pferd mit Pad satteln und einen kleinen Proberitt unternehmen, um festzustellen, wie einem selbst der Sitz des Sattels behagt. Kennt man sich mit der Anprobe eines Sattels nicht aus, sollte man sich beraten lassen. Es gibt viele gute Händler, die zur Anprobe in den Stall kommen. Man sollte darauf achten, daß dieser den Sattel nach den erwähnten Kriterien anpaßt.

Für die verschiedenen Disziplinen des Westernreitens gibt es auch unterschiedliche Sattelformen, die, je nachdem für welche Arbeit sie gedacht sind, spezielle Vorzüge aufzuweisen haben.

Ropingsattel: Dies ist der klassische Arbeitssattel unter den Westernsätteln. Besonders robust mit kräftigem Horn von größerem Durchmesser, das zur Arbeit am Rind vorgesehen ist. Das Rope wird bei der Arbeit mit dem Rind an dem besonders haltbaren Horn festgemacht. Der Ropingsattel ist so gebaut, daß sich der Reiter in den Bügeln aufstellen kann und während eines rasanten Sprints hinter einem Rind her auf seinem Pferd in dieser Haltung sein Rope schwingen kann, ohne die Balance zu verlieren. Die Steigbügelaufhängung soll das Reiterbein also stabilisieren.

Pleasuresattel: Er wird auch Equitation oder All-around Sattel genannt. Die Sitzfläche dieses Sattels sowie die Steigbügel sind im besonderen so gearbeitet, daß dem Reiter leicht ein korrekter Sitz ermöglicht wird.

Reiningsattel: Dies ist ein Westernsattel für Reining-Prüfungen, also im Prinzip ein Western „Dressur"-Sattel. Er besitzt eine Inskirt-Rigging oder eine metallose Gurtung, welche die Bewegungsfreiheit der Fender nicht beeinträchtigt. Die Fender und die entsprechende Art der Steigbügel sind derart gestaltet, daß sich der Reiter trotz der sehr schnellen Manöver bei einer Reining leicht tut, sich in Balance auf dem Pferd zu befinden. Er kann durch den Sitz leicht mit der Bewegung des Pferdes mitgehen, auch wenn diese sehr schnell ist. Der Reiningsattel gibt dem Reiter einen optimalen Kontakt zum Pferdekörper, einen ausbalancierten Sitz und viel Bewegungsfreiheit mit den Beinen.

Cuttingsattel: Dieser Sattel besitzt eine besonders lange, flache Sitzfläche mit einem niedrigen Cantle. Dadurch wird dem Reiter ermöglicht, bei den kurzen schnellen Folgen von Stops und Wendungen auf der Sitzfläche vor und zurück gleiten zu können, um die Bewegungen des Pferdes nicht zu behindern. Darüber hinaus besitzt der Cuttingsattel ein besonders gestaltetes Horn und spezielle Steigbügel. Dies dient alles dazu, daß der Reiter fest auf dem Pferd sitzen bleiben kann, wenn es unter ihm abtaucht.

Zaüme und Gebisse

Kopfstücke

Im Handel gibt es jede Menge verschiedene Ausführungen von Kopfstücken. Wichtig ist auch hier die gute Lederqualität und eine gute Pflege, denn solch wichtige Teile geruhen meist in schwierigen Situationen zu reißen.

Die Kopfstücke (Headstalls) gibt es in zwei verschiedenen Ausführungen. Entweder mit Stirnband (Browband) oder als Einohrzaum. Die Kopfstücke mit Stirnband eignen sich im besonderen für junge Pferde, da sie auch bei mitunter nötiger stärkerer Handeinwirkung oder bei unruhigen Kopfbewegungen des Pferdes nicht verrutschen. Die Einohrzäume gibt es mit fester und verschiebbarer Ohrschlaufe für das Pferd. Sie sind geeignet für ältere, gut ausgebildete Pferde, im besonderen für die einhändige Zügelführung. Den Einohrzäumen mit verstellbarer Schlaufe ist der Vorzug zu geben, da sie sich individuell dem Pferd anpassen lassen. Zur Befestigung der einzelnen Teile werden Lederschnüre, Schnallen oder spezielle Hülsenschrauben (Chicago Screws) verwendet. Für den Gelände- / Wanderreiter eignet sich besonders die Verbindung mit Lederschnüren, da solch ein Zaumzeug unterwegs leicht zu reparieren ist. Die Chicago Screws müssen regelmäßig auf ihre Festigkeit überprüft werden, da sie sich am Kopf durchaus aufdrehen können. Die einzelnen Teile des Zaumzeuges sollten aus gutem stabilem Leder gefertigt sein, das richtig geölt, stabil und trotzdem weich sein kann. Darüber hinaus gibt es eine große Anzahl an Showzäumen, die je nach Geldbeutel und Gefallen mit mehr oder weniger Silber verziert sind. Sie werden vor allen Dingen bei Turnieren eingesetzt, was aber nicht heißen soll, daß es einem nicht Freude bereiten könnte, mit einem derart geschmücktem Pferd durchs Gelände zu reiten.

Gebisse

Trense - Snaffle Bit

Die Grundausbildung eines Westernpferdes erfolgt immer im Trensengebiß, ohne Hebelwirkung. Benutzt wird beim Westernreiten eine dünne Wassertrense mit großen Ringen (Snaffle Bit) oder D-Stücken.

Snaffle Bit mit großen Ringen, Trammell-Futurity Snaffle Bit.

Das gebrochene Mundstück ermöglicht dem Pferd in der Grundausbildung am besten, die seitlichen Zügeleinwirkungen zu verstehen. Dieses Gebiß (Bit) besteht aus unlegiertem Stahl, aus sogenanntem Sweet Iron. Dieser einfache Stahl kann rosten, und der Geschmack ist den Pferden sehr angenehm. Die beiden Mundstückteile sind im Gelenk durch relativ weite Ösen locker zusammengefügt. Auch die Ösen für die Trensenringe sind sehr weit. Die Einzelteile sind also sehr beweglich, das Mundstück relativ dünn. Das Snaffle Bit ist durchaus nicht zu scharf für junge Pferde, wie oftmals angeführt wird. Dicke Mundstücke wirken sehr unsensibel für Pferd wie Reiter, wohingegen beim dünnen Gebiß Sensibilität von Pferd und Reiter gefordert wird. Hiermit kann man schon dem jungen Pferd wie auch dem ungeübten Reiter beibringen, auf und mit minimalen Zügelhilfen zu arbeiten.

Die großen Trensenringe dienen als Schutz gegen ein seitliches Durchziehen der Trense durch die Maulspalte. Zusätzlich wird noch ein lockerer Lederriemen als Kinnriemen angebracht, der gewährleistet, daß bei einseitiger Zügeleinwirkung der gegenüberliegende Ring quer zur Maulspalte liegt. Der Kinnriemen soll bei Trensenzäumung oberhalb der Zügel verschnallt sein.

Verschnallt sein soll das Snaffle Bit so, daß sich gerade keine Falte im Maulwinkel bildet, andererseits das Gebiß aber auch nicht an die Hakenzähne der Hengste und Wallache schlägt. Das Ring Snaffle Bit besitzt die mildeste Wirkung auf das Pferdemaul. Die seitlichen Ringe sollen keinen größeren Durchmesser als 10 cm besitzen, und das Snaffle muß ca. 2,5 cm vom Maulwinkel aus nach innen gemessen mindestens einen Durchmesser von 0,95 cm besitzen, zur Gebißmitte hin wird der Durchmesser naturgemäß kleiner.

Trense mit Schenkeln - Snaffle with Shanks

Dieses Gebiß ist im eigentlichen Sinne ein Snaffle Bit, es besitzt allerdings Anzüge (Shanks), die zusammen mit der Kinnkette bzw. dem Kinnriemen eine Hebelwirkung entfalten. Die Stärke der Hebelwirkung ist abhängig von der Länge der Anzüge, bzw. von dem Verhältnis Ober- zu Unterbaum.

Shank Snaffle Bit am Pferdekopf in der richtigen Länge verschnallt.

Man sollte sich nicht durch die Bezeichnung Snaffle täuschen lassen, ein Snaffle with Shanks kann je nach Bauart eine durchaus scharfe Zäumung sein.

Ein Snaffle with Shanks, oder auch Shank Snaffle genannt, ist eine sehr gute Möglichkeit, ein Pferd, das seine Grundausbildung im Snaffle absolviert hat, auf die Kandare (Bit) vorzubereiten. Die Shanks sind beweglich angebracht, so daß sie sich nicht verkanten können, es ist also auch für beidhändige Zügelführung geeignet. Durch ein leichtes Annehmen der Zügel strafft sich die Kinnkette, bzw. der Kinnriemen etwas, dies spürt das Pferd in der Kinngrube. Werden die Zügel weiter angenommen, bewegen sich die Shanks nach hinten, der dazugehörige Oberbaum nach vorne. Lange Shanks besitzen einen langen Hebelweg, sind also weniger scharf als kurze Shanks, die das Pferd oftmals mit der Wirkung überraschen. Abhängig ist die Wirkung allerdings nicht nur vom unteren Teil der Shanks, dem Unterbaum, son-

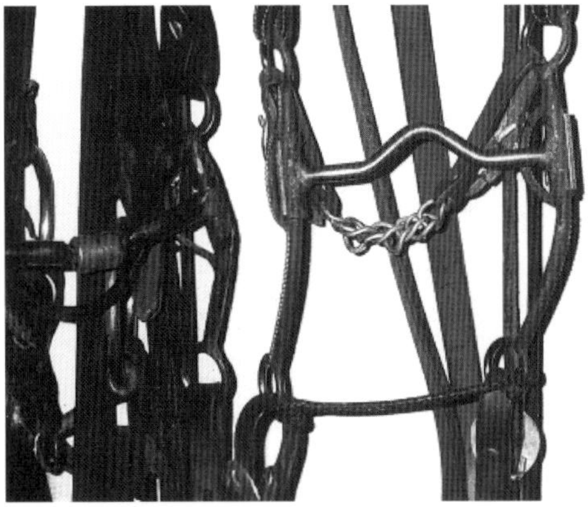

Leichtes Grazer Bit mit mittlerer Zungenfreiheit und keiner starken Winkelung zwischen Port und Bar.

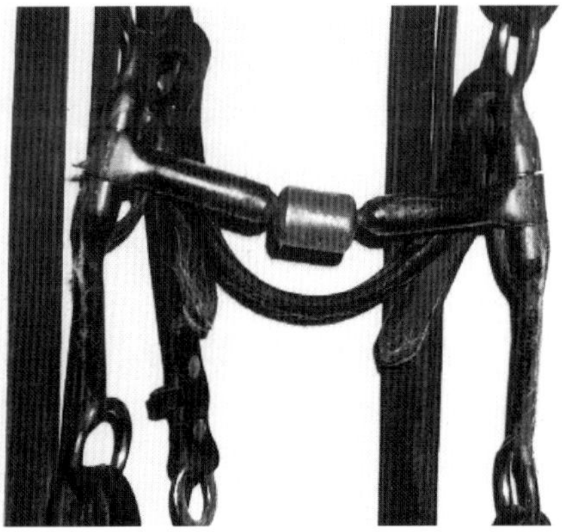

Shank Snaffle Bit mit Rolle.

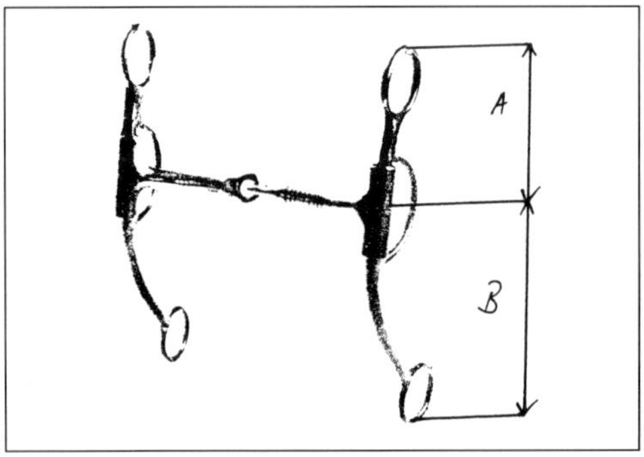

Die Stärke der Hebelwirkung ergibt sich aus dem Verhältnis von Ober- zu Unterbaum des Gebisses.

dern auch vom Oberbaum, dem oberen Teil, bzw. vom Verhältnis zueinander. Durch das Annehmen der Shanks bewegt sich der Oberbaum nach vorne, das Kopfstück wird verkürzt und dadurch wird auf das Pferd Druck hinter

Richtiges Verschnallen des Kinnriemens, beziehungsweise der Kinnkette bei Zäumung auf Shank Snaffle und auf Bit. Es müssen zwei Fingerbreit Luft zum Pferdekinn bleiben.

den Ohren ausgeübt. Ist der Oberbaum kurz, legt er nur einen kurzen Weg zurück und kann dadurch auch nur wenig Druck hinter den Ohren ausüben. Ist der Oberbaum lang, übt er beim Verkürzen der Zügel wesentlich mehr Druck hinter den Ohren aus. Wichtig ist allerdings das Verhältnis der Bäume zueinander. Ist der Unterbaum dreimal so lang wie der Oberbaum, bleibt die Wirkung auf das Pferd dieselbe, egal wie lang die Shanks sind.

Snaffle with Shanks gibt es mit zwei unterschiedlichen Gebissen. Die klassische Form ist die des normalen Snaffle Bits. Nimmt man beide Zügel gleichzeitig an, kippt das gebrochene Gebiß nach oben ab und drückt in den Gaumen des Pferdes. Das Pferd verspürt Schmerzen, reißt das Maul auf und drückt den Rücken weg.

Ein gebrochenes Snaffle with Shanks ist zwar beidhändig zu reiten, aber es dürfen niemals beide Zügel gleichzeitig angenommen werden. Darüber hinaus gibt es ein Snaffle with Shanks, das statt des gebrochenen Gebisses ein Gebiß mit einer Rolle in der Mitte besitzt. Es wird von den meisten Pferden sehr gut angenommen, da gerade die jungen Pferde, die gerade ihre Grundausbildung hinter sich haben, gerne mit der Rolle spielen. Auch der noch nicht ganz sichere Reiter tut sich mit diesem Gebiß leichter, da er dem Pferd nicht so schnell ungewollt weh tut. Es sollte einen natürlich trotzdem nicht dazu verleiten, einfach an den Zügeln zu ziehen.

Als Kinnriemen wird ein Riemen aus Leder oder eine flache Kinnkette eingeschnallt, die bei losen Shanks ca. zwei Fingerbreit Luft haben sollte.

Mit einem Shank Snaffle kann man bei loser Zügelführung durchaus auch einhändig reiten, allerdings empfiehlt es sich, dann eine Distanzstange zwischen den Enden der Shanks anzubringen, damit die Lage des Gebisses stabilisiert wird.

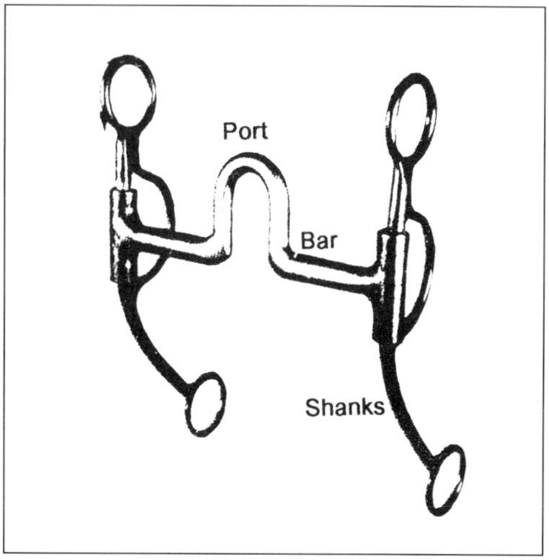

Ein High-Port Bit mit großer Zungenfreiheit.

Westernkandare - Bit

Westernkandaren, also Stangengebisse, besitzen durch ihre Anzüge alle eine Hebelwirkung. Ihre Wirkung hängt von vielen verschiedenen Dingen ab. Je nach Verhältnis vom Unterbaum zum Oberbaum ist die Hebelkraft, mit welcher der Reiter auf das Pferdemaul und das Genick einwirken kann, recht unterschiedlich. Die Anzüge sind starr oder beweglich angebracht (Loose Shanks). Bei den Loose Shanks kündigt sich die Zügelhilfe sanfter an als bei feststehenden Shanks.

Das eigentliche Stangengebiß liegt auf den Laden und der Zunge des Pferdes auf. Je mehr der Zügel angenommen wird, um so größer wird der Druck des Gebißstückes auf Zunge und Laden, der Druck der Kinnkette oder des Kinnriemens auf die Kinngrube, und der Druck des Nackenteils hinter den Ohren.

Die Wirkung des Gebisses ist auch abhängig von der eigentlichen Gebißstange und der Zungenfreiheit. Ein Mundstück mit keiner oder geringer Zungenfreiheit wird vom Pferd auf der Zunge getragen. Die Zunge des Pferdes ist wesentlich weniger empfindlich als die Laden. Ein Gebiß mit großer Zungenfreiheit ruht hauptsächlich auf den Laden und wirkt dadurch stärker auf ein Pferd ein als eines mit weniger Zungenfreiheit. Darüber hinaus gibt es Stangengebisse, deren Zungenfreiheit mehr oder minder kunstvoll oder auch sinnvoll gestaltet ist. Das klassische Spade Bit hat eine Art Löffel, der sich bei Zügeleinwirkung aufstellt und auf den Gaumen wirkt. Daraus ergibt sich, daß solche Gebisse sehr vorsichtig zu verwenden sind.

Die eigentliche Gebißstange wird Bar genannt, die Zungenfreiheit Port. Je nachdem, welchen Durchmesser Bar und Port besitzen und wie sie zueinander gewinkelt sind, ist auch die Schärfe des Gebisses unterschiedlich.

Der Kinnriemen bzw. die Kinnkette soll flach sein und bei losen Shanks knapp zwei Fingerbreit verschnallt sein. Die Gebiß-Zügel-Kombination dieser Stangengebisse ist darauf angelegt, daß mit loser Zügelführung geritten werden soll. Sie besteht aus meist recht schweren Zügeln, die zum Teil mit einer Verbindungskette zu den Seitenteilen der Gebisse versehen sind. Dies führt dazu, daß die Zügel an der Seite des Gebisses schwerer sind und alleine durch das Eigengewicht beim Anheben der Zügel einen Impuls auf das Gebiß weiterleiten. Bevor sich also über den gespannten Zügel eine Einwirkung auf die Kinngrube und das Genick ergibt, kündigt sich die Gebißeinwirkung frühzeitig für das Pferd durch die leichte Veränderung der Lage des Gebisses an Gaumen und Zunge an.

Durch diese Stangengebisse lassen sich dementsprechend ausgebildete Pferde einhändig mit minimalsten Zügelimpulsen reiten. Dies setzt allerdings eine lange Ausbildungszeit von Pferd wie auch von Reiter voraus, und kein Anfänger sollte auf die Idee kommen, seinem Pferd unvorbereitet eine solche Stange ins Maul zu hängen. Auch auf Stange gezäumte Pferde werden nicht mit Kraft geritten, sondern sie vollziehen vollständige Manöver, weil sie es gelernt haben, auf kleinste Impulse durchlässig zu reagieren.

Gebißlose Zäumungen

Solche Zäumungsarten wirken natürlich nicht auf die Druckpunkte im Maul des Pferdes, sondern auf den Nasenrücken, die Kinngrube, die Backen und zum Teil auch auf das Genick.

Es ist sicherlich ein besonders schönes Bild, auf einem Turnier eine perfekt gerittene Reining zu sehen, bei der das Pferd auf Bosal geritten wird. Die Ausbildung des Pferdes auf eine gebißlose Zäumung ist vergleichbar mit der Ausbildung auf Snaffle Bit oder auf Bit, vor allen Dingen beim Bosal.

Abzuraten ist auf jeden Fall davon, daß ein ungeübter Reiter mit einem Pferd, das eine gebißlose Zäumung trägt, ins Gelände reitet. In der vergangenen Zeit häuft sich die Meinung, eingeschnallte Zügel ins Stallhalfter genügen, um ein Pferd reiten zu können. Man hat damit, will man das Pferd gymnastizieren, nicht ausreichend Möglichkeiten, um das Pferd richtig zu korrigieren. Geradezu gefährlich wird es, wenn manche Reiter derart ins Gelände reiten. Abgesehen davon, daß sicherlich keine Haftpflichtversicherung den Schaden bei einem Unfall übernehmen wird.

Hackamore

Die klassische gebißlose Zäumung ist die Hackamore. Sie besteht aus einem etwa sieben Meter langen Seil, meist aus Pferdemähnen- und Schweifhaar, manche auch aus Nylon oder Hanf geflochten. Vorzuziehen sind die Exemplare aus Haar, da die Pferde wesentlich sensibler auf diese reagieren. Diese Mecate wird zur Zügelschlaufe gebunden und mit einem speziellen Knoten am Bosal befestigt. Das Bosal ist

Die klassische Hackamore, bestehend aus Bosal und Mecate.

ein Nasenband, das aus Rohhaut geflochten wird und mit einem dünnen Lederriemen am Pferdekopf befestigt wird. Bosals werden in verschiedener Stärke hergestellt, je nach Ausbildungsstand und Sensibilität des Pferdes werden diese unterschiedlichen Durchmesser verwendet. Im Bosal sollte kein Metall verarbeitet sein, und der Durchmesser sollte nicht stärker als 3/4 Zoll sein.

Die Hackamore wird immer beidhändig geführt, allerdings dürfen niemals beide Seiten gleichzeitig angenommen werden, dadurch hätte man keinerlei Einfluß mehr auf das Pferd. Der Reiter wirkt mit seinen richtungweisenden und tempobeeinflussenden Signalen vorwiegend auf den Nasenbereich und die Backen ein. Ein ausgebildetes Hackamorepferd ist wunderbar zu reiten, aber letztendlich sollte jeder Reiter mit solch einem Pferd daran denken, daß es eine Ausbildungszäumung ist. Die Korrekturmöglichkeiten des Pferdes mit solch einer Zäumung sind eingeschränkt. Eine gute Idee ist es sicherlich, ein Pferd, das gelernt hat, mit Hackamore geritten zu werden, zeitweise immer wieder mit Hackamore, wie auch mit Gebiß zu reiten.

Die mechanische Hackamore, eine sehr scharfe Zäumung.

Zäumung auf Sidepull.

Mechanische Hackamore

Vor allen Dingen in Deutschland ist als Hackamore mehr die mechanische Hackamore bekannt, die mit der klassischen Hackamore überhaupt nichts zu tun hat. Die mechanische Hackamore ist eine Zäumung, die aus einem Nasenband mit massivem Kern und Anzügen, an denen die Zügel befestigt sind, besteht. Werden die Zügel angenommen, verengen die Hebel das Nasenband, und der Druck auf die Nase und Kinngrube des Pferdes kann, je nach Hebelwirkung, immens groß sein. Durch die

Verkürzung bei der Hebelwirkung wirkt die mechanische Hackamore auch auf das Genick. Die mechanische Hackamore muß sehr genau angepaßt werden und darf ausschließlich mit losen Zügeln geritten werden, um dem Pferd keinen Schmerz zuzufügen. Die Zügel können auch nicht durch einseitiges Verkürzen eingesetzt werden, auch dadurch kann eine Schmerzeinwirkung beim Pferd auftreten. Das Pferd soll ausschließlich durch Anlegen des äußeren Zügels an den Hals (Neck Reining) geführt werden. Macht sich das Pferd in Wendungen steif, hat man keine weitere Möglichkeit, es zu korrigieren. Reitet man ein Pferd ausschließlich mit der mechanischen Hackamore, wird es aus diesem Grunde mit der Zeit immer steifer werden.

Sidepull

Im Gegensatz zur klassischen Hackamore, bei der die Zügel unter dem Kinn des Pferdes zusammenliegend befestigt sind, befinden sich die Zügel beim Sidepull seitlich, rechts und links oberhalb der Mundwinkel des Pferdes. Dadurch wirkt der Zügelzug mehr seitlich auf das Pferd. Benutzt wird der Sidepull ganz gern zum Anreiten junger Pferde, um ihnen schnell Richtungsänderungen beibringen zu können, ohne sie im Maul anfassen zu müssen. Danach wird für eine gute Basisausbildung wieder auf das Snaffle Bit übergegangen bzw. später eine richtige klassische Hackamore-Ausbildung absolviert.

Satteldecken - Blankets/Pads

Eine gute Sattelunterlage ist wichtig, um den Rücken des Pferdes zu schonen. Allerdings kann ein gutes Pad keinen schlecht passenden Sattel besser machen. Pads gibt es aus einer Vielzahl von Materialien. Die Satteldecke ist dazu da, den sich durch das Reiten unter dem Sattel bildenden Schweiß aufzunehmen und möglichst schnell vom Pferdekörper wegzutransportieren. Darüber hinaus müssen sich Satteldecken leicht reinigen lassen.

Für Westernsättel gibt es unterschiedlich große und dicke Pads, die je nach Material gut polstern und den Schweiß mehr oder minder gut abführen. Die gebräuchlichen dicken Koddelpads aus Kunstfaser sind weich und anpassungsfähig für den Pferderücken, saugen den Schweiß gut auf, leiten ihn aber schlecht weiter. Es gibt allerdings Pads aus reiner Wolle, die nicht nur weich sind, sondern, wie es dem Material Wolle zueigen ist, den Schweiß hervorragend gut aufsaugen und vom Pferderücken wegleiten. Sie sind mit dem Wollwaschgang der Waschmaschine gut zu reinigen.

Die Pads sind mit bunten Navajooberseiten erhältlich oder auch nur aus Koddel oder Wolle. Auf diese kann man allerdings dünne Navajodecken zur Zierde legen. Wichtig ist, daß die Verarbeitung der Pads derart gestaltet ist, daß die Füllung nach dem Waschen nicht flockt, was durch die dann ungleichmäßige Verteilung der Füllung im Bezugsstoff zu Druckstellen auf dem Pferderücken führen kann.

Sattelgurte

Es gibt eine Menge verschiedener Sattelgurte. Sattelgurte aus Leder müssen sehr gut gepflegt werden. Sie müssen regelmäßig gereinigt und sorgsam mit Sattelseife behandelt werden. Am verbreitetsten sind Schnurengurte. Bei den Schnurengurten gibt es große Qualitätsunterschiede, man muß sie vorsichtig testen und die Hautverträglichkeit beim Pferd beobachten. Das Schonendste für das Pferd ist sicherlich der Koddelpelzgurt. Dieser gehört regelmäßig gewaschen, damit Schweiß und Schmutz entfernt werden, um die Pferdehaut nicht zu reizen. Mit dem Koddelgurt schwitzt das Pferd stärker unter dem Gurt als mit dem Schnurengurt. Angenehmer für das Pferd ist zumindest im Sommer sicherlich der Schnuren- oder der Ledergurt. Man muß vorsichtig ausprobieren, welchen Gurt das Pferd am besten verträgt. Auch muß man darauf achten, daß die großen Metallringe, die sich am Gurt befinden, keinesfalls ungepolstert auf dem Pferdefell aufliegen dürfen. Dies kann sonst böse Druckstellen ergeben. Auch wenn nicht immer sofort ein Satteldruck oder ein Gurtdruck entsteht, so kann es doch sein, daß die Haut in den entsprechenden Bereichen immer empfindlicher reagiert, und irgendwann wundert man sich dann, wenn das Pferd fast nichts mehr auf der Haut verträgt und schon beim Satteln unruhig wird.

Relativ neu auf dem Markt sind Neoprengurte. Sie sind flexibel, verrutschen nicht und passen sich dem Pferd an. Dadurch werden unnötige Hautreizungen und Entzündungen vermieden. Das Neopren nimmt keine Feuchtigkeit und keinen Schweiß auf und ist leicht zu reinigen.

Beinschoner - Skid Boots, Splint Boots, Bell Boots

Skid Boots sind Schoner für die hinteren Fesselköpfe. Beim normalen Reiten sicherlich unnötig, sind sie allerdings unerläßlich, will man seinem Pferd richtige Sliding Stops beibringen. Das Pferd gräbt sich mit der Hinterhand dabei in den Boden ein, soll mit der Hinterhand auf dem Untergrund rutschen (sliden), und dabei kann es sich ohne Schoner leicht verletzen. Ist dies erst einmal passiert, kann es schwierig werden, das Pferd weiterhin dazu zu bewegen, seine Hinterhand beim Stoppen richtig einzusetzen.

Splint Boots schützen die Vorderbeine des Beines, falls sie zum Streichen neigen. Beim Streichen verletzt sich das Pferd mit der Innenkante des Vorderhufes an der Innenseite des gegenüberliegenden Beines. Auch ein Pferd, das normalerweise nicht zum Streichen neigt, sollte Splint Boots tragen, wenn man ihm in der Ausbildung Seitengänge und Spins beibringt. Durch die ungewohnte Seitwärtsbewegung kann es sonst leicht zu Verletzungen der Beine kommen. Dies gilt im besonderen für beschlagene Pferde. Bell Boots schützen den Kronsaum der Hufe sowie die Ballen der Vorderhufe. Bei Seitwärtsgängen können sich ungeübte Pferde den Kronsaum verletzen oder aber auch beim Stop und Back-up den Ballen der Vorderhufe.

Splint Boots und Bell Boots gibt es als Einheit, dann werden sie Combination Boots genannt. Sie schützen die Röhren, Fesseln und den Kronsaum des Vorderbeines. Combination Boots müssen eine besonders gute Paßform aufweisen, damit sie dem Pferd in der Bewegung nicht hinderlich sind.

Alle Boots sollten natürlich eine gute Qualität und Verarbeitung aufweisen. Sie dürfen keine aufgetragenen Nähte aufweisen, und die Befestigungsriemen müssen möglichst großflächig angebracht sein. Boots sollten so beschaffen sein, daß ein Eindringen von Sand, Steinchen u.ä. vermieden wird.

Gute Boots sind im Training wie auf Turnieren unerläßlich. Sie schützen das Pferd vor Stößen und Verzerrungen. Sie absorbieren eine Menge Erschütterungsenergie, dadurch werden Sehnen und Bänder vor Überlastung, Überdehnung und Verletzung geschützt. Selbstverständlich sollten wir unser Training so gestalten, daß die Verletzungsgefahr für das Pferd minimiert wird. Aber gerade in der Ausbildungsphase, wo das junge Pferd zum Teil noch gar nicht weiß, was wir von ihm wollen, können wir die Folgen eines „Fehltrittes" durch gute Boots mindern.

Sporen - Spurs

Sporen sind ein künstliches Hilfsmittel zur Verstärkung der Schenkelhilfe, allerdings auch zu ihrer Verfeinerung. Getragen werden dürfen sie ausschließlich von Reitern, die ihre Unterschenkel vollständig unter Kontrolle haben und das Pferd nicht unabsichtlich mit den Sporen berühren. Selbst ständig klopfende Absätze stumpfen ein Pferd mehr ab als zum richtigen Zeitpunkt dosiert eingesetzte Sporen.

Da wir in unserer Ausbildung Wert darauf legen, ein sich selbst ausbalancierendes Pferd mit gutem Vorwärtsdrang und bereitwilliger

Der richtige Sporeneinsatz.

Beispiel für harmlose Sporen mit großen, beweglichen Rädern mit stumpfen Spitzen.

Mitarbeit zu bekommen, werden wir Sporen kaum nötig haben. Sporen sind weder ein Prestigeobjekt noch dazu da, das Pferd zu bestrafen. Am sinnvollsten werden Sporen nur sporadisch eingesetzt, wenn es wirklich nötig ist, um dem Pferd eine bestimmte Schenkelhilfe zu verdeutlichen.

Westernsporen machen auf viele Menschen erst einmal einen relativ brutalen Eindruck. Machen wir uns die Mühe und sehen sie uns mal näher an. Harmlose Westernsporen haben große Sporenräder mit mehr als sechs Zacken, die abgerundet sind und leicht abrollen. Feststehende Sporenräder mit scharfen Spitzen, die hauptsächlich in Mexiko gebräuchlich sind, sind Tierquälerei. Ich selbst habe sie hierzulande bisher nur zur Dekoration an der Wand hängen sehen, wo sie auch hingehören.

Wie so oft, kann man auch hier nur anmerken: sinnvoll, wenn richtig angewendet, im allgemeinen werden sie allerdings oftmals mißbraucht. Selbst auf großen Westernturnieren wie der Americana kann man häufig sehen, wie Pferde mittels stärkstem Sporeneinsatz zum Beispiel zum Rückwärtstreten gezwungen werden, verbunden mit starkem Zügelzug. Dies ist sicherlich nicht die richtige Ausbildungsmethode, um dem Pferd ein zügiges, aber lockeres Rückwärtsgehen beizubringen.

Auch beim Freizeitreiten sind Shotgun-Chaps aus Wildleder sinnvoll einzusetzen.

Chaps

Chaps, zu sehen beim Working Cowboy, beim Rodeoreiter oder auch beim Showreiter, sind ein nützliches Kleidungsstück, selbst für den Freizeitreiter. Es gibt viele verschiedene Arten von Chaps, die auch für unterschiedliche Einsatzbereiche zweckdienlich sind. Cowboys, die in frühen Jahren im unwegsamen Gelände Rinder zusammentrieben, legten sich einfach ein Lederstück über Sattel und Beine, um sich vor Dornengestrüpp zu schützen. Darüber hinaus stellte dies auch noch einen Schutz gegen Kälte und Nässe dar.

Die meisten Chaps werden heutzutage aus ölgegerbtem Rinderleder hergestellt. Verwendung findet Voll- und Spaltleder. Aber auch andere Lederarten wie Hirsch-, Elch- oder Büffelleder finden immer noch Verwendung. Von der Form her unterscheiden sich die verschiedenen Chaps gewaltig. Unterteilt werden sie in Shotguns, Batwings und Shinks.

Shotguns sind von der Hüfte bis zum Boden nahezu gerade geschnitten und umschließen das gesamte Bein des Reiters.

Batwings sind die typischen Chaps für Rinderklassen, vor allen Dingen beim Cutting. Diese Chaps sind unterhalb des Knies lose und flattern bei der Bewegung wie die Flügel einer Fledermaus, daher der Name. Beim Cutten blähen sich die Chaps auf, und Pferd wie Reiter wirken dadurch für das Rind größer und respekteinflößender.

Chinks sind kurze Chaps, die gerade bis übers Knie gehen. Sie bieten Schutz, sind aber nicht so warm wie andere Chaps.

Zum Führen von der linken Seite aus wird die Führkette durch den linken seitlichen Halfterring geführt, bevor man sie um das Nasenband schlingt, durch den rechten seitlichen Halfterring führt und in den oberen rechten Halfterring einhängt.

BODENARBEIT - VERTRAUENSBILDUNG

Bevor wir ein Pferd einreiten, sollten wir am Boden mit ihm richtig umgehen können, beziehungsweise sollte es unseren Wünschen zuverlässig Folge leisten. Dies gilt nicht nur für ein junges Pferd, das wir einreiten möchten, sondern auch für ältere Pferde, die wir auf das Westernreiten umstellen wollen. Auch mit dem Umstellungspferd absolvieren wir einige Gehorsamsübungen vom Boden aus, um es kennen und einschätzen zu können. Entweder man durchläuft das gesamte Ausbildungsprogramm für junge Pferde mit ihm oder auch nur wenige Übungen, je nachdem, welchen Ausbildungsstand das Pferd besitzt.

Halfterführigkeit

Ein Pferd soll völlig sicher geführt werden können, egal ob am Halfter oder an der Trense. Im allgemeinen wird gelehrt, daß der Führer auf Höhe der Schulter des Pferdes laufen soll und auch die Hand in dieser Höhe des Pferdes halten soll. Dies ist äußerst unsinnig. Die Hand kann in dieser Stellung nur eingeschränkt vom Pferd gesehen werden und somit kann es auch keine Signale, die mit der Hand gegeben werden, erkennen, um darauf zu reagieren. Speziell von Westerntrainern wird häufig empfohlen, vor dem Pferd herzulaufen, das Pferd soll dann ruhig hinter dem Führer dreinlaufen. Ist es ein älteres, absolut sicher ausgebildetes Pferd, kann man dies natürlich machen, aber ein junges Pferd, das noch leicht erschrickt, springt so unter Umständen in die Beine oder Füße des Führers, was diesem sicherlich nicht angenehm ist. Zudem hat man mit dieser Methode keine Möglichkeit, rechtzeitig eine sich anbahnende Reaktion des Pferdes zu erkennen und früh genug entsprechend zu reagieren. Hält man hingegen die Hand in Höhe des Pferdekopfes am langen durchhängenden Führstrick, knapp in Höhe des Kopfes, etwa an der inneren Halfterschnalle, dann kann das Pferd auf Signale der Hand reagieren. Ein gut ausgebildetes Pferd läuft schneller, wenn ich mit der Hand etwas nach vorne gehe, langsamer, wenn ich zurück gehe. Ebenso in Wendungen. Das Pferd kann dann besser abschätzen, was ich von ihm erwarte und kann selbst in Wendungen normal, frei und ausbalanciert laufen. Will man ein Pferd auf einer Show oder zum Verkauf vorführen, ist so etwas absolut notwendig. Hängt der Führer ziehend und zerrend am Führstrick, läuft das Pferd schief und krumm. Außerdem hat das Ganze auch den Vorteil, daß das Pferd quasi frei bei Fuß läuft. Es käme gar nicht auf den Gedanken, den Führer zu überholen. Ich kann neben meinem Pferd schnell laufen, das Pferd hat seine Zügel über dem Hals und läuft frei mit. Laufe ich schnell genug, fängt mein Pferd an, neben mir zu galoppieren, immer auf der gleichen Höhe neben mir. Bleibe ich stehen, stoppt es selbständig auch, um mich nicht zu überholen. Dies ist eine sehr gute Gehorsamkeitsübung. Man sollte so etwas natürlich nur in einer Umgebung ausprobieren, wo nichts passieren kann, in der Halle oder einem umzäunten Platz. Ein Vorteil dieser Übung besteht darin, daß das Pferd sehr aufmerksam wird. Es ist buchstäblich auf den Reiter fixiert, was er denn gleich machen wird und wohin es ihm folgen soll.

Will ich einem Pferd dieses „Sich-führen-Lassen" am langen Zügel beibringen, nutze ich das Sozialverhalten der Pferde aus. Innerhalb der Herde besitzen die einzelnen Tiere eine bestimmte Rangordnung. Ein rangniedrigeres Pferd wird niemals ein ranghöheres in nahem Abstand überholen. Versucht es dies, wird es von dem ranghöheren Pferd bedroht. Reagiert das rangniedrigere Pferd nicht darauf, wird das ranghohe die Lippen etwas hochziehen und mit den entblößten Zähnen nach dem anderen Pferd „schlagen". Dieses mit den zusammengebissenen Zähnen Schlagen ist unter Pferden weitverbreitet. Wir können dies nachahmen, indem wir mit der Hand das Maul eines Pferdes imitieren und dem Pferd in solch einem Falle einen Klaps mit der Hand auf die Nase geben.

Wir führen also das Pferd am Halfter mit eingeschnallter Führkette neben uns her. Mit einem leichten Zupfen der Führkette kann man es aufmerksam machen. Man sollte nicht an der Führkette ziehen, denn eine gespannte Führkette zeigt nicht mehr den erwünschten Erfolg und ermuntert das Pferd höchstens dazu, mit Kraft dagegen zu ziehen. Will uns das Pferd überholen, geben wir ihm als ranghöhere Person mit der linken Hand einen Klaps auf die Nase. Dieser Klaps kann nur angedeutet sein, unter Umständen reicht eine ausgestreckte Hand, kann aber auch ein derber Knuff auf die Nase sein, je nach Sensibilität des Pferdes. Es versteht sich von selbst, daß wir die Intensität nur langsam steigern, wenn uns nicht bekannt ist, wie sensibel das Pferd ist. Wollen wir stehen bleiben, rütteln wir leicht an der Führkette, um das Pferd aufmerksam zu machen, heben dabei leicht die Hand und sagen „Who". Bleibt das Pferd daraufhin nicht stehen, müssen wir schnell genug sein, um ihm mit der linken Hand einen Klaps auf die Nase zu versetzen.

Rückwärtsrichten an der Hand. Das Pferd weicht dem ranghöheren Pferdeführer aus.

Man kann die gleichen Übungen natürlich auch mit einer Gerte in der linken Hand ausüben. Dabei nehmen wir beim Anhalten den Gertenknauf vor den Kopf des Pferdes. Will das Pferd beim Antreten nicht mitkommen, können wir es leicht mit der Gertenspitze, ohne uns umzudrehen, hinten berühren. Haben wir keine Gerte, gehen wir mit der führenden Hand leicht zurück und beginnen dann, nach vorne weiter zu laufen, vielleicht verbunden mit einem leichten Schnalzen. Im allgemeinen wird dies ausreichen, um ein Pferd zum Antreten zu bewegen.

Wendet sich ein ranghohes Tier frontal einem rangniederen zu, so wird dieses ausweichen. Dies machen wir uns zunutze, um dem Pferd das Rückwärtsgehen an der Hand beizubringen. Nachdem das Pferd steht, laufen wir ruhig vor das Pferd und bleiben mit etwas Abstand vor ihm stehen. In einer Hand die Führkette, an der wir leicht rütteln, um das Pferd aufmerksam zu machen, die andere Hand erhoben, rückwärts deutend, verbunden mit der Stimmhilfe „back" oder „go back". Dabei machen wir Anstalten, auf das Pferd frontal zuzugehen. Im allgemeinen wird jedes Pferd zumindest ein oder zwei Schritte zurückgehen. Dies reicht für den Anfang aus, später werden wir dies bis auf einige Meter wirklich geraden Rückwärtsgehens ausweiten. Dabei sollte man natürlich nicht vergessen, das Pferd ausführlich mit der Stimme zu loben. Entscheidend dabei

Arbeit an der Hand im Trab am lose aufgerolltem Führstrick, beim Überqueren einer Plastikfolie. Die Hand ist in der richtigen Position.

Aussacken durch Schwingen eines Pads über dem Pferdekörper.

ist die Stimmlage. Sie sollte ruhig und tief sein. Achten Sie darauf, daß Sie keine den anderen Stimmkommandos ähnlich klingenden Worte benutzen, um das Pferd nicht zu verwirren.

Das Pferd sollte natürlich ruhig stehen bleiben, wenn wir stehen bleiben. Wie leicht dies einem Pferd fällt, hängt von seiner Erziehung und seinem Temperament ab. Selbst einem temperamentvollen Pferd sollte man dies allerdings beibringen, man denke nur an Situationen wie eine Tierarztuntersuchung, den Schmied oder auch eine Turniersituation, bei der das Pferd ruhig stehen bleiben können sollte. Auch bei einem Wanderritt ist das ruhige Stehenbleiben in der Pause sehr nützlich. Haben wir ein temperamentvolles Pferd, werden wir diese Übung nicht gleich am Anfang des Trainings absolvieren, sondern erst, wenn sich das Pferd ausreichend bewegt hat, zum Beispiel könnten wir es vorher ablongieren. Wir führen das Pferd, lassen es mit „Who" anhalten und bleiben etwas länger stehen. Bewegt sich das Pferd, zupfen wir leicht an der Führkette und sagen etwas energischer „Who". Bleibt das Pferd ruhig stehen, loben wir es. Je nach Temperament des Pferdes üben wir das Stehenbleiben nicht zu lange, sondern weiten diese Übung erst mit der Zeit immer mehr aus. Haben wir ein sehr unruhiges Pferd, das mit der Hinterhand unruhig steht, können wir uns an eine Begrenzung stellen, eine Gerte zur Hand nehmen und das Pferd auch mit leichtem Berühren der Gerte kontrollieren. Wir begrenzen das Pferd dabei mit unserer Körpersprache. Das heißt, wir müssen so stehen, daß wir mit dem ausgestreckten Arm das Pferd vorne begrenzen können, sollte es versuchen, nach vorne wegzulaufen. Hinten können wir mit einer Gerte den Einwirkungsbereich unserer Hand erweitern.

Angemerkt sei auch, daß nicht immer eine Führkette notwendig ist. Arbeite ich mit einem Junghengst, werde ich die Führkette immer einschnallen, da ich im Zweifelsfalle damit eine festere Einwirkung auf das Pferd habe. Arbeite ich mit einem ruhigen, aber sensiblen Pferd, kann ein Führstrick völlig ausreichend sein. Habe ich allerdings einen Ignoranten, werde ich wieder die Führkette zu Hilfe nehmen, da ich ihn hiermit aufmerksamer machen kann. Man versucht immer, mit so wenig wie möglich auszukommen, muß aber soviel wie nötig nehmen. Ziel ist, daß das Pferd auf meine Fingerspitzen achtet und auf die entsprechenden Befehle richtig reagiert, die mit der Bewegung der Finger ausgedrückt werden. Dies alles ist keine künstliche Dressur, sondern die Verständigungsebene mittels des Sozialverhaltens der Pferde untereinander, die in eingespielten Herden auch nur noch über Mimik und leichte Veränderung einzelner Körperteile, also durch Körpersprache abläuft.

Aussacken

Bei der Westernausbildung wird man das junge Pferd spätestens vor dem Anreiten aussacken. Man kann dies allerdings durchaus auch schon spielerisch mit jüngeren Pferden machen. Auch mit älteren Pferden, die das Aussacken noch nicht kennen, sollte man diese Übungen durchaus einmal praktizieren. Manche werden sehr schreckhaft, manche überhaupt nicht darauf reagieren. Mit den schreckhaften arbeiten wir immer wieder so lange und ruhig, bis sie nicht mehr panisch reagieren.

Zum Aussacken binden wir das Pferd nicht an, damit es sich nicht verletzen kann, falls es panisch reagieren sollte. Es ist ausgesprochen vorsintflutlich und unsinnig, das Pferd zum Aussacken an einen Pfahl mit Gummireifen zu binden, wie immer noch häufig empfohlen wird. Das Pferd soll Vertrauen zu uns fassen, und dies wird auf diese genannte Art und Weise sicherlich nicht entstehen.

Das Pferd sollte schon gelernt haben, stehen zu bleiben. Wir haben den Führstrick in der einen Hand und eine kleine Decke, Jacke oder ähnliches in der anderen. Nun zeigen wir dem Pferd den Gegenstand und lassen ihn diesen ausreichend lange untersuchen und beschnuppern. Dann beginnen wir ganz langsam, das Pferd am Kopf und am Hals damit zu berühren. Läßt es dies geschehen, gehen wir dazu über, das Pferd am ganzen Körper mit dem Gegenstand zu streicheln. Natürlich loben wir es ausführlich, wenn es ruhig stehen bleibt. Wird es unruhig und läßt sich mit der Stimme nicht beruhigen, hören wir auf und fangen nach einer kurzen Pause wieder von vorne an. Wir lassen das Pferd den Gegenstand wieder untersuchen und berühren es an den Stellen, bei denen es davor ruhig stehen geblieben ist. So verfahren wir, bis wir das Pferd an allen Körperteilen berühren können, ohne daß es erschrickt oder verspannt dasteht. Es kann durchaus sein, daß dies nicht beim ersten Mal möglich ist. Dann hören wir rechtzeitig auf, bevor sich das Pferd zu sehr aufregt, absolvieren noch eine Berührung, bei der wir davon

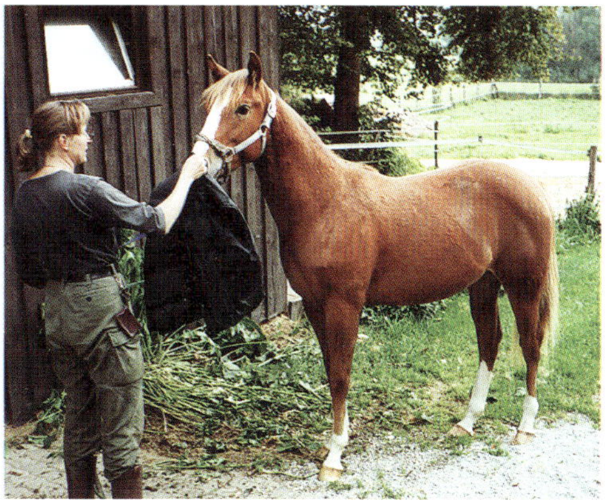

Aussacken eines Junghengstes, hier mit einer raschelnden Weste. Zuallererst wird dem Pferd der Gegenstand gezeigt und ihm ausreichend Zeit gelassen, ihn zu untersuchen. Das Pferd darf dabei nicht angebunden stehen, damit es sich, falls es erschrecken sollte, nicht verletzt.

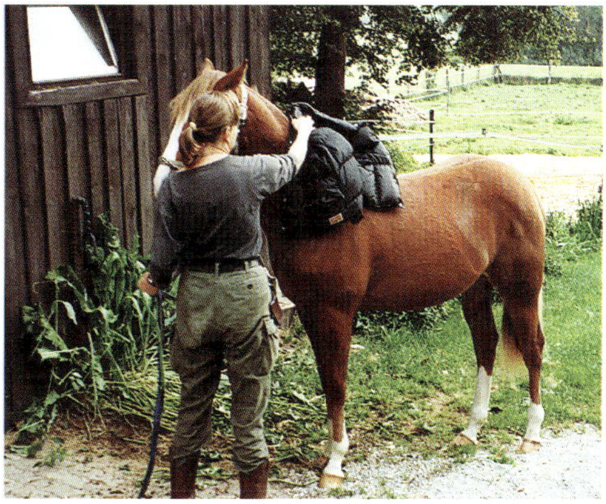

Das Pferd wird langsam und ruhig an allen Körperteilen mit der Weste berührt, aber immer nur so weit, daß es sich nicht beunruhigt.

Das erste Aussacken ist geschafft, das Pferd steht ruhig und gelassen und wird auch bei anderen Gegenständen, falls man wieder so langsam und gelassen vorgeht, keine Schwierigkeiten machen.

ausgehen können, daß es sich nicht weiter aufregen wird, loben das Pferd oder geben ihm sogar ein Leckerchen und beenden diese Lektion. Durch dieses positives Ende hat das Pferd das nächste Mal keine Bedenken, sich wieder berühren zu lassen.

Kann man das Pferd mit dieser Decke an allen Stellen seines Körpers berühren und bleibt es ohne Zeichen von Aufregung ruhig stehen, kann man anfangen, in seinen Bewegungen mit der Decke etwas schneller zu werden. Dies weiten wir so weit aus, daß wir die Decke an den Pferdekörper schwingen können, ohne daß sich das Pferd dabei erschrickt. Wir können die Decke auch über den Pferdekopf schwingen. Bleibt das Pferd ruhig, wechsle ich den Gegenstand des Aussackens. Ich kann eine andere Decke, zum Beispiel in einer grellen Farbe nehmen, einen Mantel, eine Plastiktüte und vieles mehr. Es liegt an den Nerven des Pferdes, wie lange es dauert, bis es gut ausgesackt ist. Bei manchen reichen zwei bis drei Tage aus, bei manchen kann diese Phase auch zwei bis drei Wochen dauern. Man sollte sich allerdings wirklich die Zeit dazu nehmen, denn der Erfolg ist spätestens dann sichtbar, wenn wir durchs Gelände reiten und irgendwo eine Plastikplane im Wind flattert oder Wäsche auf einer Leine sich zu bewegen anfängt und vieles mehr. Sacken wir das Pferd richtig aus, bekommt es Vertrauen zu uns und weiß, daß ihm in unserer Anwesenheit nichts passiert.

Longieren

Ist das Pferd zwei Jahre alt, können wir gefahrlos anfangen, es zu longieren. Zum Teil werden leider selbst wenige Monate alte Fohlen schon longiert. Durch diese andauernde unnatürliche Biegung werden allerdings die Sehnen, Bänder und Gelenke des Pferdes stark belastet. Der Boden auf dem Longierplatz sollte weich, aber nicht zu tief sein, dadurch hat das Pferd mehr Halt und die Beine werden nicht zu stark belastet. Durch das Longieren wird das junge Pferd an gleichmäßige Bewegungsabläufe gewöhnt, seine Konzentrationsfähigkeit wird gesteigert und seine Muskeln werden gymnastiziert. Darüber hinaus lernt es, die schon bekannten Kommandos nicht nur auf den Stimmbefehl hin, sondern auch auf Handzeichen hin auszuüben. Der beste Longierplatz ist ein runder Corral, der Round Pen, er besitzt eine feste Begrenzung und hat einen Durchmesser von ungefähr 15 Metern. Das Pferd läßt sich hier, nur mit der Longiergerte, wunderbar arbeiten, da es sich in keiner Ecke festlaufen kann. Ansonsten sollte man auf einem normalen Reitplatz einen Longierzirkel optisch abtrennen, damit es dem jungen Pferd einfacher fällt, im Kreise zu laufen. Ein ruhiges Pferd kann man am Stallhalfter longieren, man kann aber auch einen leichten Kappzaum, oder bei stürmischen Pferden die Trense, zusammen mit einer Longierbrille benutzen.

Auch für das ältere Pferd ist die Arbeit im Round Pen oder an der Longe immer wieder anzuraten. Das Pferd kann sich im Round Pen, ohne geritten zu werden, leicht aufwärmen und lösen, der Reiter hat dabei die Möglichkeit, die Reaktion des Pferdes auf Stimmkommandos mittels seiner Körpersprache zu verbessern. Soll ein Pferd auf die Westernreitweise umgestellt werden, ist die Arbeit im Round Pen eine gute Möglichkeit, dem Pferd zuerst die entsprechenden Stimmhilfen beizubringen.

Will man das Pferd links herum longieren, hält man in der linken Hand die aufgerollte Longierleine so, daß man sie nach Bedarf leicht abrollen lassen kann. In der rechten Hand hält man die Longiergerte, mit der Spitze zum Boden gerichtet. Man tritt einen Schritt seitwärts / rückwärts in Richtung zur Kruppe des Pferdes und hebt leicht die Longiergerte. Mit dem entsprechenden Stimmkommando ermuntert man das Pferd dazu, anzutreten. Nun sollte es sich um die Person im Mittelpunkt herum in Bewegung setzen. Hält man die Longiergerte mehr zur Mitte des Pferdes hin, wird es den Zirkel vergrößern. Beim Longieren mit der Longierleine muß man die Leine abrollen lassen, bis das Pferd in dem gewünschten Abstand um einen herumläuft. Beim freien Longieren

Longiert man das Pferd mit Sattel, sind die Zügel am Sattelhorn befestigt.

Pferd leicht ausgebunden beim Longieren. Die Zügel sind am Sattel befestigt.

Eine andere Art des Ausbindens, die Zügel führen durch die Beine hindurch. Dies ergibt eine gute Dehnungshaltung, ist aber gefährlich für ungeübte Pferde und Menschen. Das Pferd kann, wenn es den Kopf zu tief nimmt und die longierende Person nicht rechtzeitig richtig reagiert, mit den Beinen über den Zügel treten. Sind die Zügel zu kurz angebunden, fängt ein junges Pferd leicht an zu steigen und kann sich dabei überschlagen.

Die exakte Longierhaltung im Idealfall. Longierleine und Gerte bilden ein gleichschenkliges Dreieck zum Pferd.

An der Trense kann die Longe einfach am Kinnriemen eingehängt werden, so wird das Gebiß nicht im Pferdemaul hin und her gezogen.

wird das Pferd normalerweise von sich aus dazu tendieren, nach außen von der Gerte weg zu laufen. Läuft das Pferd ruhig im Kreis, läßt man es erst einmal laufen. Wenn man merkt, daß es von sich aus verlangsamen will, macht man in unserem Beispiel (nach links laufend) einen Schritt nach links / vorne, dreht sich etwas nach rechts, verkürzt also den Winkel, läßt die Spitze der Gerte zu Boden sinken und gibt das Stimmkommando zum Anhalten. Bleibt das Pferd nicht sofort stehen, wiederholt man dies. Wenn es steht, geht man aus der Mitte zu ihm hin, lobt es und läßt es zur Belohnung kurze Zeit stehen. Dann wendet man das Pferd und arbeitet es genauso auf der anderen Seite. Versucht das Pferd in die Mitte zu laufen, korrigiert man es mit der Gertenspitze. Im Idealfall bildet man mit dem Pferd ein gleichschenkliges Dreieck. Bei einem Jungpferd kann es am Anfang nötig sein, daß es ein Helfer immer wieder ruhig zum Longierzirkel zurückführt, bis es verstanden hat, daß es im Kreis herumlaufen soll. Jungpferde laufen gerne in die Mitte, da sie den Sinn und Zweck des Im-Kreise-Laufens erst einmal nicht verstehen.

Will man das Pferd beschleunigen, tritt man einen Schritt in Richtung Kruppe und hebt die Gertenspitze, will man das Pferd verlangsamen, tritt man einen Schritt in Richtung Kopf und senkt die Gertenspitze.

Longiert man ohne Longierleine im Round Pen, kann man auch die andere Hand zuhilfe nehmen. Tritt man etwas vor das Pferd beziehungsweise auf das Pferd zu und hebt die Hand, wird es normalerweise verlangsamen oder stehenbleiben. Beim Freilongieren im Round Pen braucht man keine Longiergerte, wenn man eine deutliche Körpersprache besitzt. Man dirigiert das Pferd alleine mit Arm-, Hand- und anderen Körperbewegungen. Ist das Pferd an der Hand gut ausgebildet worden, wird es unseren Hand- und Stimmzeichen leicht Folge leisten. Je nach dem, wie gut das Pferd schon vor dem Longieren auf Stimmkommandos hin ausgebildet wurde, wird es sehr schnell nicht nur auf das Anhalten, sondern auch auf die entsprechenden Kommandos für die verschiedenen Gangarten hören. Ein junges Pferd sollte man nicht länger als 10 bis 15 Minuten longieren. Ist es daran gewöhnt, kann man es auch 20 Minuten longieren, aber selbst erwachsene Pferde nie länger als 30 Minuten.

Selbst einen Turn, eine Hinterhandwendung um 180 Grad, kann man dem Pferd an der Longe leicht beibringen. Im Gegensatz zur Reitbahn erfolgt der Turn allerdings nicht zur

Als Vorbereitung zum Turn läuft das Pferd hier auf einem Linkszirkel exakt im Kreis.

Nach dem Anhalten wechselt man ruhig die Longierleine in die rechte Hand, stellt sich in die richtige Position zum Pferdekopf und wendet das Pferd zur Bahnmitte hin, indem man zum Stimmkommando leicht an der Longierleine nach innen zupft.

Bande hin, sondern zur Longiermitte. Man longiert das Pferd zum Beispiel auf der linken Hand und läßt es anhalten. Nun steht das Pferd ruhig auf der linken Hand auf dem Longierhufschlag, man hält die Longierleine korrekt in der linken Hand. Zuerst wechselt man ruhig die Longierleine in die rechte Hand, tritt dabei einen Schritt nach links, um in der Höhe des Pferdekopfes oder kurz davor zu stehen. Jetzt gibt man das Stimmkommando zum Turn, zupft leicht an der Longierleine nach innen, verkürzt sie also und treibt dabei vorsichtig das Pferd mit Gerte oder Handbewegung der linken Hand nach rechts. Läuft es zu weit in die Mitte, muß man es von vorne begrenzen. Es ist erstaunlich, wie schnell die Pferde lernen, um was es geht, und welchen Spaß es ihnen macht, Stops und Turns auszuüben. Dazu gehört natürlich ein gutes Maß an Konsequenz und ein klares Auftreten, sprich eine ausgebildete Körpersprache des Pferdehalters. Bei dieser Arbeit können wir leicht erkennen, wie authentisch unsere Körpersprache ist, und trainieren nicht nur unser Pferd, sondern auch uns selbst bezüglich unseres Ausdrucksvermögens.

Ein junges Pferd, das eingeritten werden soll, kann man als Übergang mit einem Pad, befestigt mit einem elastischen Gurt, longieren. Wurde das Pferd gut ausgesackt, kann das erste Satteln kein großes Problem sein. Liegt der Sattel das erste Mal auf dem Pferderücken, wird er vorsichtig hin und her bewegt, ähnlich wie beim Aussacken. Dann läßt man den Gurt vorsichtig heruntergleiten, und zeigt das Pferd keine Verspannung, gurtet man ihn locker, aber nicht zu lose an. Man führt das Pferd auf den Longierzirkel, gurtet vorsichtig nach und longiert das Pferd wie immer. Es wird sich etwas irritiert nach den sich bewegenden Steigbügeln umdrehen oder auch ein paar Bocksprünge machen, aber meistens ist das alles. So longiert man das Pferd mindestens vier Wochen lang, um es langsam an mehr Gewicht zu gewöhnen.

Kennt das Pferd das Tragen der Trense schon, können wir es auch leicht ausbinden, um es mit der Wirkung des Gebisses weiter vertraut zu machen und um schon eine leichte Dehnung des Halses nach vorwärts / abwärts zu erreichen. Aber selbstverständlich nur ein leichtes Ausbinden. Auch ältere Pferde kann man beim Longieren immer wieder einmal leicht ausbinden, vor allen Dingen jene, die etwas schwer an den Zügel zu reiten sind.

Arbeit an der Doppellonge - vorwärts. Das Pferd ist auf Wassertrense gezäumt und die Steigbügel sind unter dem Pferdebauch zusammengebunden.

Arbeit an der Doppellonge - Back-up. Beide Longen werden durch die zusammengebundenen Steigbügel geführt.

Arbeit an der Doppellonge

Sinn dieser Arbeit ist es, dem Pferd schon vom Boden aus die richtungweisenden Zügelsignale in der Wassertrense beizubringen. Die Arbeit an der Doppellonge wird erleichtert, wenn sie in einem Round Pen erfolgt, da das Pferd hier leichter auf seinem Rundkurs gehalten werden kann. Beim Fahren vom Boden aus bindet man die Steigbügel unter dem Bauch des Pferdes zusammen und läßt die beiden Leinen von der Zäumung aus durch die Steigbügel laufen. In diesem Fall läuft man hinter dem Pferd her. Longiert man das Pferd an der Doppellonge auf einem Zirkel, läuft nur die äußere Longe durch den äußeren Steigbügel hindurch.

Bei der Arbeit an der Doppellonge benutzt man die Zügelhilfen wie beim Reiten zusammen mit den Stimmsignalen. Geeignet ist diese Arbeit vor allen Dingen für junge Pferde, aber auch für umzustellende Pferde, um ihnen das Anhalten (Stop), das Rückwärtsrichten (Back up) und Hinterhandwendungen in beide Richtungen (Turns) beizubringen.

Arbeit an der Hand

Wir können noch eine Vielzahl anderer Übungen mit dem Pferd praktizieren, damit es gehorsam auf uns achtet und unseren Befehlen vom Boden aus folgt. Wir erleichtern damit uns und auch dem Pferd die Arbeit vom Sattel aus. Voraussetzung dafür ist, daß uns das Pferd zuverlässig folgt, wie es unter dem Kapitel Halfterführigkeit (S.28) beschrieben ist. Es sollte am langen Führstrick frei bei Fuß neben uns laufen und mit kleinsten Handbewegungen nach rechts oder links zu dirigieren sein. Es sollte auch im Trab ruhig neben uns laufen, sowie auf Handzeichen leicht rückwärts gehen.

Um das Pferd wendiger zu machen, führen wir es um Stangen und Tonnen. Wir können einen ganzen Irrgarten daraus aufbauen. Wir können Stangen sternförmig legen und das Pferd im Schritt darüberführen, damit es lernt, seine Gliedmaßen besser zu koordinieren. Wir können es zum Beispiel auch durch einen Korridor aus Strohballen und Fässern führen, damit es keine Angst vor Engpässen hat.

Voraussetzung für diese Bodenarbeit ist, daß das Pferd auf unsere Körpersprache achtet, beziehungsweise wir uns auch für das Pferd deutlich genug verständigen.

Bei den Lektionen muß man auf jedes einzelne Pferd individuell eingehen. Haben wir einen verspannten, genervten Araber, mit dem wir über Stangen laufen wollen, werden wir ihn sinnvollerweise zuerst longieren, damit er sich lösen und beruhigen kann.

Wie sonst soll man einem Dynamitfaß beibringen, in ruhiger Manier über Stangen zu treten? Nur wenn wir dem Pferd klarmachen,

Führen des Pferdes um Stangen, um es beweglich und aufmerksam zu machen.

Stangensalat zum Darüberführen des Pferdes. Es lernt dabei, seine Beine vorsichtig zu heben und die Stangen nicht zu berühren.

daß dieses Tun angenehm für es ist, wird es uns gelingen. Um das Pferd richtig an der Hand ausbilden zu können, brauchen wir ein gut sitzendes Halfter, nicht zu eng und nicht zu weit, mit einem breiten Nasenriemen. Dazu eine Führkette, die wir in das Halfter einschnallen können. Wird das Pferd von links geführt, wird das freie Ende der Kette auf der linken Seite in die untere Metallöse eingeführt, einmal um das Nasenband geschlungen, dann durch den unteren Ring der rechten Seite gezogen und in den oberen rechten Ring eingehängt. Wird das Pferd von rechts geführt, auch dies sollte geübt werden, wird die Führkette seitenverkehrt eingeschnallt.

Wir wollen das Pferd mit der Anwendung der Kette nicht bestrafen. An der Führkette darf niemals gezogen oder gezerrt werden, ebenfalls dürfen wir das Pferd niemals an einer Führkette anbinden. Mit der Führkette wird nur ein kurzer Ruck ausgeführt. Bei empfindlichen Pferden reicht ein leichter Schlenker mit der Kette aus, ohne daß sich die Führkette um die Nase strafft. Als Effekt spürt das Pferd eine leichte Einwirkung auf die Nase. Dies entspricht der kleinen Zurechtweisung, wie wir dies beim jungen Pferd mit der flachen Hand ausgeführt haben.

Weiter brauchen wir zur Bodenarbeit zumindest zeitweise eine Gerte. Das Pferd sollte vorsichtig daran gewöhnt werden, damit es weiß, daß auch diese Gerte nicht zur Bestrafung da ist, sondern sozusagen als Verlängerung unserer Hand. Wir „streicheln" das Pferd langsam an allen Stellen des Körpers mit der Gerte, bis es dabei keinerlei Verspannungen mehr zeigt. Pferde reagieren sehr unterschiedlich auf eine Gertenberührung. Das eine macht sich überhaupt nichts aus der Berührung mit der Gerte, das andere gerät unter Umständen in Panik.

Wird ein Pferd unruhig, versuchen wir immer wieder, es mit dem langgezogenen Stimmlaut „Whoo" zum Stillstehen zu verleiten. Steht es still, loben wir es überschwenglich. Fängt es an, hin und her zu treten, schlenkern wir mit dem Führstrick, äußern unseren Stimmlaut und versuchen damit, das Pferd ruhig stehen zu lassen. Ist das Pferd an die Gerte gewöhnt, können wir es, falls es auf uns zudrückt, leicht mit der Gerte berühren, um ihm klarzumachen, daß es Abstand halten soll. Wenn wir das richtige Führen an der Hand früher schon geübt haben, fällt dies dem Pferd nicht weiter schwer. Für das Pferd ist es viel einleuchtender, beim Führen immer wieder einmal stehen bleiben zu sollen, als einfach nur auf dem Anbindeplatz. Man kann das Stillstehen soweit ausdehnen, daß man um das Pferd herumgehen kann, ohne daß es den Kopf dreht. Nur die Ohren werden sich mitdrehen, um jederzeit orten zu können, wo wir uns befinden. Nehmen wir die Gerte zuhilfe, können wir

Schon vom Boden aus kann man dem Pferd die Angst vor Engpässen nehmen.

Führkette rechts eingeschnallt, von rechts gesehen.

Berühren mit der Gerte am ganzen Pferdekörper, damit das Pferd lernt, keine Angst vor der Gerte zu haben.

Vorhandwendung vom Boden aus.

dem Pferd auch leicht beibringen, seitwärts zu treten oder eine Vorhandwendung an der Hand zu machen. Diese Biegeübungen bereiten das Pferd gut auf das Einreiten vor, es lernt reiterliche Hilfen kennen und kann sich auch in Biegungen immer besser im Gleichgewicht bewegen. Bei einer Vorhandwendung soll das Pferd seine Hinterbeine um die Vorhand bewegen. Man stellt sich leicht seitwärts neben den Kopf, aber so, daß das Pferd sich nicht dazu ermutigt fühlt, nach vorne wegzutreten. Dann berühren wir das Pferd leicht an der Seite, an der Stelle, wo später auch die Schenkelhilfen einsetzen werden. Ein empfindliches Pferd wird wahrscheinlich sofort der Gerte weichen, auch wenn es keine Angst davor hat. Dann müssen wir nur durch Zupfen an der Führkette dafür sorgen, daß das Pferd vorne auf einer Stelle stehen bleibt. Ein weniger empfindliches Pferd werden wir etwas deutlicher mit der Gerte auffordern müssen und eventuell den Pferdekopf etwas zur Seite mit der Gerte drehen. Durch diese leichte Biegung der Wirbelsäule animieren wir das Pferd dazu, sich zu drehen. Am Anfang reichen wenige Schritte, dann probieren wir es mit der anderen Seite. Wenn das Pferd die Übung verstanden hat, sollten wir sie nicht lange weiterüben. Lange Wiederholungen machen das Pferd mißmutig.

Beherrscht das Pferd die Vorhandwendung, können wir ihm auch leicht das Seitwärtstreten beibringen. Das heißt, das Pferd soll die gleich-

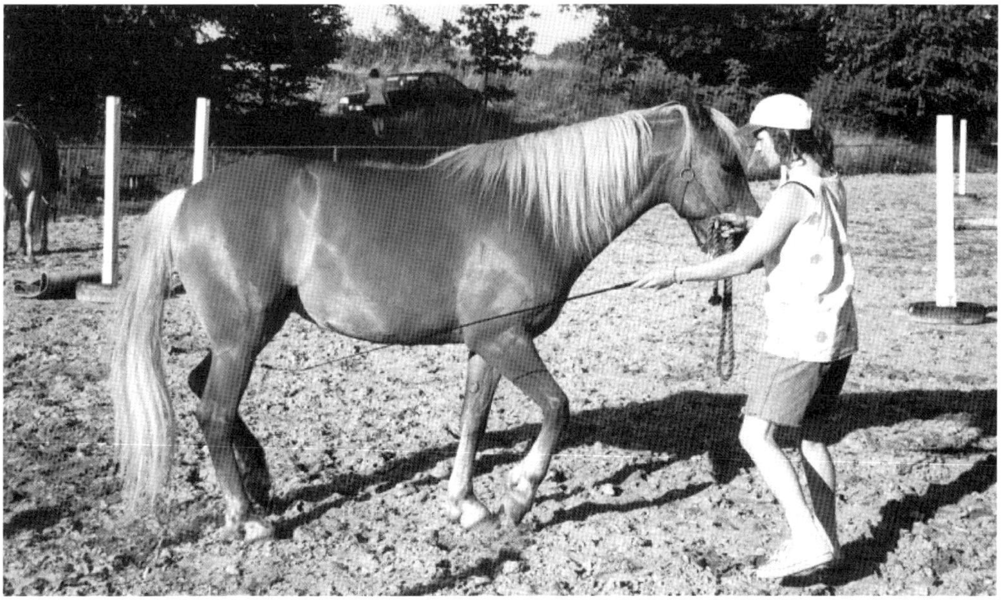

Seitwärtstreten an der Hand. Die Gerte wird flach an die Seite des Pferdes angelegt.

seitigen Beinpaare seitwärts bewegen, was natürlich schon eine viel größere Koordination der Bewegungen voraussetzt. Dazu fangen wir an wie bei der Vorhandwendung, nur daß wir die Gertenhilfe etwas weiter vorne geben, beziehungsweise flach an der Seite des Pferdes. Reagiert das Pferd nicht darauf, können wir ihm auch mit der Gerte an dem entsprechenden Bein der Vorhand bedeuten, daß es dieses Bein zur Seite nehmen soll. Legen wir die Gerte an der linken Seite des Pferdes an, damit das Pferd nach rechts weicht, können wir den Pferdekopf etwas nach links drehen, dann fällt es dem Pferd leichter, in die gewünschte Richtung zu weichen. Die Seitwärtsbewegung macht den meisten Pferden mehr zu schaffen als die Vorhandwendung, aber mit der entsprechenden Geduld lernt es jedes Pferd. Macht das Pferd ein paar Schritte richtig, loben wir es und lassen es ein paar Momente ruhig stehen. Das Stehenlassen bedeutet eine Belohnung, es dient außerdem der Konzentration des Pferdes, und es führt dazu, daß das Pferd nicht übereilt von einer Übung zur anderen hastet, um möglichst schnell das ganze Übungsprogramm zu absolvieren. Haben wir ein solch folgsames Pferd an der Hand, können wir einen richtigen Parcours aufbauen. Ein Stangen-L können wir vorwärts und rückwärts durchlaufen, ohne die Stangen zu berühren. Wir können das Pferd auch seitwärts über die Stangen laufen lassen. Besonders interessant wird es beim rechten Winkel. Das Pferd lernt schnell, daß es die Stangen nicht mit den Hufen berühren soll.

Wir können auch Schlangenlinien um Tonnen laufen und vieles mehr. Den Weg zwischen diesen Bodenhindernissen können wir in unterschiedlichen Gangarten zurücklegen. Wir können zwischen diesen Hindernissen auch längere Haltepausen einlegen. Der Phantasie sind hierbei fast keine Grenzen gesetzt. Mit der Zeit brauchen wir bei sensiblen Pferden keine Gerte mehr, um zu verdeutlichen, was wir von dem Pferd wollen. Auf leichte Fingerspitzenberührungen wird es das tun, was wir von ihm erwarten. Pferde haben große Freude daran, mit dem Menschen zu arbeiten, vor allen Dingen, wenn sie einen persönlichen Bezug zu ihm haben. Ein in dieser Art ausgebildetes Pferd, das auf uns achtet und unseren leichtesten Berührungen gehorcht, wird kaum Probleme beim Reiten machen, weil es viel schneller verstehen wird, was wir von ihm erwarten.

Um das Pferd rückwärts durch ein Stangen-L gehen zu lassen, führt man es zuerst einmal vorwärts durch das Stangen-L, läßt es kurz stehen und dann gerade rückwärts gehen.

Am Eck angekommen, geben wir die entsprechenden Hilfen mit der Gerte, damit das Pferd langsam und vorsichtig um die Ecke weicht.

Nach der Ecke lassen wir das Pferd wieder ruhig und langsam Schritt für Schritt gerade rückwärts gehen.

Das Stangen-L läßt sich sehr gut auch zum Üben des Seitwärtstretens benutzen.

HILFENGEBUNG BEIM PFERD

Haben wir unser Pferd gut erzogen, dann hat es schon gelernt, daß der Mensch ranghöher ist als es selbst. Wird das Pferd geritten, hat es allerdings den Reiter nicht mehr als Bezugsperson neben sich, es kann nicht mehr auf seine Körpersprache achten, um ihn zu verstehen. Wir müssen nun Möglichkeiten finden, vom Rücken des Pferdes aus klar und verständlich unsere Wünsche deutlich zu machen.

Richtige Lage eines Shank Snaffle bei losen Zügeln.

Einwirkung des Reiters am Pferdekopf

Das Pferd hat am Kopf besonders empfindliche Druckpunkte, die wir uns beim Reiten zunutze machen. Das sind das Genick, die Nase, der Gaumen, die Zunge, die Laden, die Lippen (Maulwinkel) und die Kinngrube. Diese Stellen sind beim Pferd sehr empfindlich, und wir müssen unbedingt darauf achten, daß wir ihm mit unserer Zäumung und mit unseren Zügelhilfen an diesen Stellen nicht weh tun. Empfindet ein Pferd Schmerz, wird sein Fluchtreflex ausgelöst, in Folge dessen geht es durch. Viele Reiter benutzen daraufhin eine schärfere Zäumung, die dem Pferd noch größere Schmerzen zufügt. Durch diesen Schmerz wird wiederum der Fluchtreflex verstärkt und so weiter. In einem solchen Fall hilft es nur, die Schmerzursache zu beseitigen, damit der Fluchtreflex ausgeschaltet wird.

Die unterschiedlichen Zäumungen wirken auch auf unterschiedliche Bereiche des Pferdekopfes. Normale Trensengebisse wirken auf die Maulwinkel, die Zunge und die Laden. Trensengebisse mit Anzügen wirken zusätzlich auf das Genick und die Kinngrube. Die Stärke der Einwirkung liegt am Verhältnis des oberen zu dem unteren Anzugsbaum. Der eingeschnallte Kinnriemen wirkt bei angenommenen Zügeln auf die Kinngrube. Wird ein gebrochenes Trensengebiß falsch benutzt, wirkt es schmerzhaft auf den Gaumen des Pferdes.

Wirkung eines Gebisses mit Hebelwirkung bei angenommenen Zügeln. Außer auf das Gebiß wird Druck im Genick und am Kinn ausgelöst.

Stangengebisse wirken auf alle Druckpunkte außer dem Nasenrücken ein. Werden Stangengebisse gekonnt verwendet, sind sie durch die vielfache Signalwirkung sehr sanft zu handhaben und in keinster Weise brutal. Dies setzt aber einen hohen Ausbildungsstand bei Pferd wie Reiter voraus. Ein brutaler Reiter kann auch mit einer normalen Wassertrense Unfug anrichten.

Gebißlose Zäumungen wirken vorwiegend auf die Nase, auch auf die Kinngrube und die Backen, bei der mechanischen Hackamore auch auf das Genick.

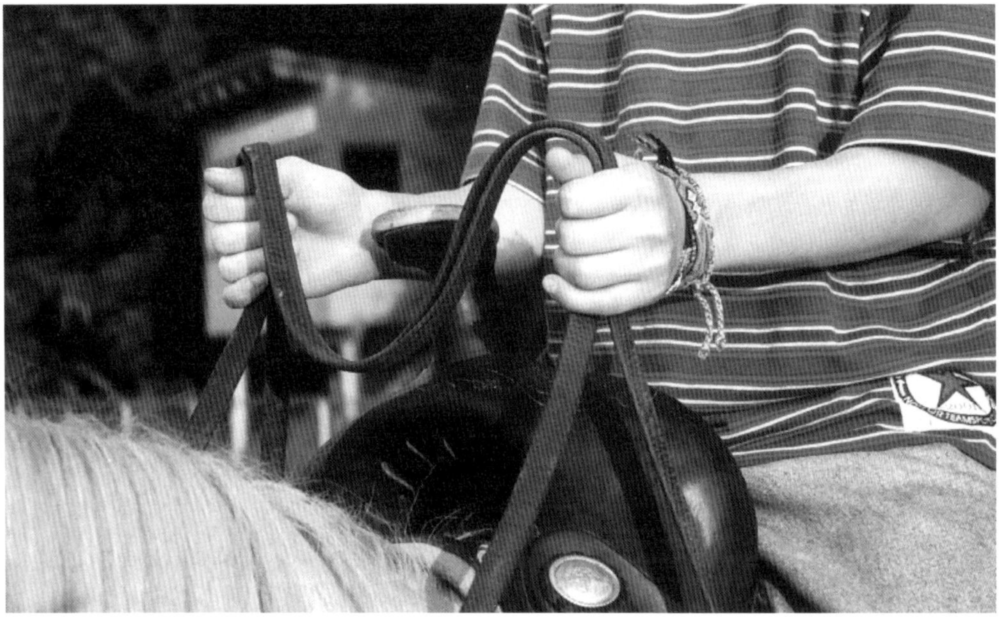

Exakte Zügelbrücke für beidhändiges Reiten.

Zügelhilfen

Zügelhilfen sind Hilfen, die mit den Zügeln ausgeführt werden. Zügel kann man verlängern, verkürzen oder auch anstehen lassen. Die Grundposition der Hände hält einen losen Kontakt zum Pferdemaul aufrecht, ohne an dem Gebiß zu ziehen. Das gelingt nur, wenn wir einen guten ausbalancierten Sitz haben und unabhängig von der Gangart des Pferdes mit den Händen der normalen Bewegung des Pferdes nachgeben können. Lassen wir die Hand nur passiv stehen, fallen wir dem Pferd damit schon ins Maul.

Das Ziel des Westernreitens, bezogen auf die Zäumung, ist letztendlich die einhändige Zügelführung in einer der klassischen Westernstangenzäumungen. Ist das Pferd vollständig ausgebildet, kommt der einhändigen Zügelführung hauptsächlich richtungweisende Bedeutung zu, wie sie auch ein Signal zum Stoppen, Backup und beim Tucking geben kann. Die Möglichkeiten, ein falsch gestelltes Pferd im Bit mit einhändigen Zügelhilfen exakt korrigieren zu wollen, sind sehr gering.

Selbst ein fertig ausgebildetes Pferd wird von Zeit zu Zeit mit einem beidhändig geführten Trainingszaum geritten, um es exakt korrigieren zu können.

Beim beidhändigen Reiten (Snaffle Bit, Snaffle with Shanks, Bosal) können wir unterschiedliche Hilfen rechts und links geben. Eigentlich bestehen die Zügelhilfen aus einem kurzen Annehmen und wieder Loslassen des jeweiligen Zügels. Dabei ist es vor allem wichtig, nicht in eine ziehende Bewegung zu kommen. Wir bauen keinen konstanten Druck im Maul auf, sondern zupfen elastisch am Zügel, als ob wir eine Mohrrübe aus dem Boden ziehen wollten. Wenn wir uns den Zügel als Gummiband vorstellen, kommen wir der Sache schon recht nahe. Mit beidseitiger Zügelführung können wir direkte Zügelhilfen geben. Vereinfacht ausgedrückt, zupfen wir am linken Zügel, nimmt das Pferd den Kopf nach links und läuft normalerweise auch nach links. Verwendung finden beim beidhändigen Reiten die offenen Lederzügel, sogenannte kalifornische Split Reins, geflochtene Textil- oder Hanfzügel, und beim Reiten mit der klassischen Hackamore natürlich die Mecate.

Der rechte Zügel hängt dabei zur linken Seite hinab, der linke Zügel zur rechten. Wir greifen beide Zügel und bilden zwischen den Händen eine sogenannte Zügelbrücke. Diese muß groß genug sein, um den rechten und linken Zügel unabhängig voneinander nach oben, unten, vorne und hinten, beziehungsweise rechts und links nehmen zu können. In der Grundposition werden beide Hände ungefähr in Höhe des Sattelhornes gehalten. Die Zügel sollten gleich lang sein und gleich weit weg vom Mähnenkamm des Pferdes. Zum Verlängern der Zügel läßt man die Hand an der Zügelbrücke entlang nach außen gleiten. Die Zügel sollen in der Grundhaltung nicht anstehen, das heißt, es soll kein Gewicht des Gebisses spürbar sein, aber auch nicht so lang sein,

Ebenso erlaubte beidhändige Zügelführung. Der kleine Finger befindet sich zwischen den Zügeln.

Zügelführung beim einhändigen Reiten. Es darf nicht mehr als ein Finger zwischen den Zügeln gehalten werden. Dies ist die gebräuchlichste Haltung beim Reining-Reiten.

Ebenso gebräuchliche Methode der einhändigen Zügelführung.

daß man die Hände bis vor den Bauch ziehen kann, bevor man Kontakt zum Pferdemaul verspürt. Bei einhändiger Zügelführung sieht es anders aus. Heben wir zum Beispiel etwas die Hand, dies machen wir, um dem Pferd anzukündigen, daß eine Richtungsänderung kommt, und nehmen sie dann leicht nach rechts, dann liegt der linke Zügel an einer bestimmten Stelle am Pferdehals an, und das Pferd weicht diesem linken Zügel aus. Beim einhändigen Reiten geben wir also vorwiegend indirekte Zügelhilfen. Das Pferd muß allerdings vorher im Snaffle und Snaffle with Shanks oder Bosal gelernt haben, alle Übungen in exakter Körperhaltung auf Zügelsignale, Schenkel- und Gewichtshilfen hin richtig auszuführen.

Ein gut gerittenes Pferd reagiert nicht auf die Zügelhilfen, weil wir ihm den Kopf zur Seite ziehen, sondern weil es auf die feinen Signale achtet, die von den Zügeln an das Gebiß weitergeleitet werden. Es geht nicht darum, Pferde mit möglichst harten Gebissen zu beherrschen, sondern darum, damit ein Umsetzungsinstrument für feinste Signale zu besitzen. Aus diesem Grunde wirken vor allen Dingen die klassischen Westernzäumungen nicht nur im Maul, sondern auch im Genick und in der Kinngrube, um mehrere und feinere Signale übermitteln zu können.

Beim einhändigen Reiten mit einer Westernstange werden wie beim beidhändigen Reiten kalifornische Split Reins verwendet, aber auch Romals, deren rechtes und linkes Zügelende am Schluß in ein gemeinsames Endstück enden. Die Split Reins können auf verschiedene Weise gehalten werden. Rechter und linker Zügel laufen von oben in die geschlossene Faust und kommen unten wieder heraus. Dabei kann der Zeigefinger die beiden Zügel voneinander trennen. Beide Zügelenden hängen auf der Seite der Zügelhand herunter. Klassischerweise werden die Zügel bei einhändiger Zügelführung in der linken Hand geführt, dies kommt daher, daß der Cowboy seine rechte Hand zur Arbeit brauchte. Für den heutigen Show- oder Freizeitreiter ist dies sicherlich zu vernachlässigen. Die geschlossenen kalifornischen Zügel mit Romal werden ohne Finger zwischen den Zügeln benutzt. Das Romal hängt nach unten aus der aufrechten Zügelhand heraus und wird mit der anderen Hand gehalten. Der Daumen umschließt die Finger der Zügelhand.

Zum Verlängern der Split Reins öffnet der Reiter etwas die Zügelhand und läßt die Zügel das gewünschte Stück durchgleiten. Beim Verkürzen greift er Stück für Stück mit Daumen und Zeigefinger nach.

Einwirkung des Reiters am Pferdekörper

Gewichtshilfen

Beim Westernreiten wird nicht mit den typischen treibenden und verhaltenden Hilfen geritten wie beim „Englischreiten“. Es gibt hier kein mit dem „Kreuz schieben“. Solche Gewichtshilfen werden nicht eingesetzt, da wir das Pferd in seiner Balance dadurch stören würden, und auch der Reiter selbst könnte nicht im Balancesitz reiten. Beim Westernreiten setzen wir die Gewichtshilfen in Form von Schwerpunktverlagerungen ein. Verlegt der Reiter seinen Schwerpunkt nach vorne, versucht ein ausbalanciert gehendes Pferd seinen Schwerpunkt wieder unter den des Reiters zu bekommen, es wird schneller. Verlegt der Reiter seinen Schwerpunkt nach hinten, indem er minimal seinen Oberkörper zurücknimmt, bringt das Pferd seinen Schwerpunkt ebenfalls nach hinten, indem es seine Hinterhand senkt, seinen Kopf und Hals etwas weiter nach oben nimmt, und dadurch langsamer wird. Auch bei Wendungen wird diese natürliche Art der Hilfengebung eingesetzt. Wie bei den anderen Hilfen ist es auch hier wichtig, dies nur als einen Impuls einzusetzen. Die nur leichte Gewichtsverlagerung wird sofort zurückgenommen, wenn das Pferd reagiert.

Die Gewichtshilfen stehen am Anfang der Ausbildung des Pferdes wie auch beim Reitan-

Der korrekte Sitz des Reiters von der Seite her gesehen. Der Reiter sitzt völlig gerade und ausbalanciert auf dem Pferd.

fänger im Hintergrund. Der Reitanfänger, aber auch der vom traditionellen Reiten her kommende Umsteiger hat am Anfang genügend Schwierigkeiten, einen entspannten, lockeren Balancesitz zu finden. Es wäre zu schwierig, hier auch noch mit kleinen, aber richtig eingesetzten Schwerpunktverlagerungen agieren zu wollen. Genauso sieht es beim jungen Pferd aus. Beim jungen Pferd will man mit so wenig Einwirkung wie möglich reiten, um es nicht zu verwirren. Es muß erst einmal sein Gleichgewicht unter dem Reiter wiederfinden, es soll Zügel- und Schenkelhilfen koordinieren können und später eben auch die Gewichtshilfen. Man wird ein junges Pferd aus diesem Grunde nicht mit deutlichen Gewichtshilfen reiten, sondern mit einem möglichst passiven Reitersitz, der das Pferd nicht stört und auch nicht verwirrt.

Um das junge, aber auch das erwachsene Pferd nicht in seinen Bewegungsabläufen zu behindern, ist es notwendig, daß der Reiter in völliger Balance auf dem Pferd sitzt. Um in Balance auf einem Pferd sitzen zu können, müssen wir unseren Schwerpunkt über den des Pferdes bringen und auch halten können. Der Schwerpunkt des Pferdes verändert sich je nach Gangart und Geschwindigkeit, und wir müssen unseren Schwerpunkt dem des Pferdes anpassen. Unser Schwerpunkt befindet sich ungefähr in Höhe des Nabels, in der Mitte unseres Körpers. Steht unser Pferd still und

Der korrekte Sitz des Reiters von hinten her gesehen. Der Reiter soll ganz gerade und symmetrisch auf dem Pferd sitzen.

Hier nimmt der Reiter seinen Oberkörper zu weit nach vorne. Der Kopf wird hängen gelassen, was zu einer verspannten Schultermuskulatur führt, und die Unterschenkel befinden sich etwas zu weit hinten.

Der Reiter hat seine Steigbügel zu kurz verschnallt, ein entspanntes Reiten ist so nicht möglich. Das Gesäß des Reiters lehnt sich am Cantle an. Darüber hinaus werden die Zügel zu kurz gehalten.

Hier sitzt der Reiter asymmetrisch auf seinem Pferd. Er kann keine korrekten Gewichtshilfen mehr geben.

Die Unterschenkel sind zu weit vom Pferd weggestreckt. Auch dies deutet auf einen verspannten Sitz. Die Unterschenkel sollen lose herabhängen.

trägt es einen passenden Sattel, ist es für den Reiter keine Schwierigkeit, seinen Schwerpunkt über den des Pferdes zu bringen. Der Schwerpunkt des Pferdes befindet sich knapp hinter der Vorhand. Die einzelnen Körperteile des Reiters müssen sich im Gleichgewicht befinden, damit das Reiten für den menschlichen Körper nicht belastend ist. Es fängt damit an, daß man einen guten Sattel besitzt, der nicht nur dem Pferd paßt, sondern auch dem Reiter. Der tiefste Punkt des Sattels sollte in der Mitte sein, dicht am Sattelknauf.

Der Kopf des Reiters soll locker und ruhig, aber gerade gehalten werden. Die Wirbelsäule soll sich in aufrechter, natürlicher Haltung befinden, die Schultern gerade und nicht hängend sein. Dies entspricht der dem Menschen vorgegebenen natürlichen aufrechten Haltung, wie wir sie auch sonst einnehmen sollten. Durch die in der Zwischenzeit vorwiegend sitzende Tätigkeit der Menschen haben sich leider viele Haltungsfehler eingeschlichen. Fängt solch ein Mensch an zu reiten und bekommt Rückenschmerzen, schiebt er es fälschlicherweise auf das Reiten statt auf seine schlechte Körperhaltung. Die meisten Menschen in unserer zivilisierten Welt haben eine zu wenig ausgeprägte Rückenmuskulatur. Diese Rückenmuskulatur ist aber dazu notwendig, unsere Wirbelsäule zu entlasten und uns mühelos aufrecht gehen zu lassen. Beim aufrechten Sitz des Reiters wird genau diese Muskulatur verstärkt gebraucht und wir merken sofort, wenn unsere Muskulatur unterentwickelt ist. Andererseits wird durch die Inanspruchnahme der Rückenmuskulatur diese gestärkt, und viele Menschen, die Rückenprobleme hatten, sind sie durch schonendes physiologisches Reiten schon losgeworden.

Wenn Sie mit dem richtigen Gleichgewicht auf dem Pferd sitzen, geht eine Fallinie von den Ohren bis zu den Knöcheln durch Ihren Körper. Das Reitergewicht soll auf beide Gesäßknochen gleichmäßig verteilt sein und auch etwas auf die Innenseiten der Oberschenkel. Dies mag am Anfang ungewohnt sein. Die innere Oberschenkelmuskulatur wird bei anderen Sportarten kaum gebraucht und wird dann beim Reiten zuerst einmal gedehnt und elastisch gemacht. Dies braucht einfach eine gewisse Zeit, wie bei anderen gymnastischen Übungen auch.

Die Steigbügel müssen in der richtigen Länge verschnallt sein, sonst ist ein entspanntes Reiten unmöglich. Sind die Beine in der richtigen Position, befinden sich die Füße leicht, aber flach in den Steigbügeln. Man steht nicht mit dem Gewicht in den Steigbügeln, sondern hat nur ein leichtes Gewicht darin, damit sie nicht verrutschen. Dabei federt der Fuß ganz leicht, wenn das Pferd in Bewegung ist, um elastisch mit der Bewegung mitzugehen. Die Steigbügel sollen so lang sein, daß Sie, wenn Sie in den Bügeln stehen, noch die flache Hand unter Ihren Schritt schieben können.

Die Unterschenkel sollen locker nach unten hängen, nicht an den Pferdeleib angedrückt und nicht nach außen weggestreckt sein. Verspannte, klopfende Unterschenkel vernichten jegliche Sensibilität beim Pferd. Durch zu kurze Steigbügel kommt es zu einem veränderten Oberschenkelwinkel und ein am hinteren Rand des Sattels anliegendes Gesäß. Dies ergibt automatisch einen ausgeübten Schub des Reitergewichtes nach vorne / abwärts und keinen neutralen Sitz, wie wir ihn brauchen, um im wirklichen Gleichgewicht bleiben zu können.

Sitzen Sie mit Ihrem Oberkörper hinter der gedachten Fallinie, müssen Sie die Beine nach vorne strecken, um sich auszubalancieren. Damit sind die Beine in falscher Position, um die entsprechenden reiterlichen Hilfen zu geben, außerdem werden Sie bei einem Beschleunigen der Gangart hinter die Bewegung des Pferdes kommen und damit wieder im Ungleichgewicht sitzen. Das gleiche gilt, wenn Sie sich mit dem Oberkörper zu weit nach vorne lehnen. Dadurch werden die Beine zu weit nach hinten genommen und außerdem das Pferd durch das Reitergewicht zu stark auf der Vorhand belastet.

Die richtige Position für die korrekte Schenkelhilfe in Position 1.

Die richtige Position für die korrekte Schenkelhilfe in Position 2.

Schenkelhilfen

Schenkelhilfen sind Hilfen, die durch mehr oder minder leichte Druckausübung durch den Unterschenkel und / oder den Absatz ausgeübt werden. Das Pferd weicht dem ausgeübten Druck nach der anderen Seite hin aus. Schenkelhilfen können einseitig oder auch beidseitig gegeben werden sowie an unterschiedlichen Positionen, und zwar in Gurthöhe, knapp eine Handbreit dahinter und knapp zwei Handbreit dahinter. Wenn Pferd und Reiter entsprechend ausgebildet sind, verringert sich dieser Abstand immer mehr und es kommt zu einer nahezu unsichtbaren Hilfengebung. Je nachdem, an welcher Stelle und ob der Druck einseitig oder beidseitig ausgeübt wird, hat dies unterschiedliche Manöver zur Folge.

Es gibt also auf beiden Seiten jeweils drei Positionen für die Schenkellage. Je nach Reitweise und auch je nach Trainer kann die „Übersetzung" für das Pferd etwas unterschiedlich ausfallen, aber die gebräuchlichste sieht folgendermaßen aus:

Position 1:
Beidseitige Schenkelhilfe: Anreiten
Einseitige Schenkelhilfe: Richtungswechsel
Durch Anlegen des rechten Schenkels Richtungswechsel nach links, da das Pferd dem Druck ausweicht.

Die richtige Position für die korrekte Schenkelhilfe in Position 3.

Position 2:
Beidseitige Schenkelhilfe: Beschleunigen
Diese Hilfe wird nur zur Beschleunigung einer Gangart angewendet, ebenso als Ankündigung vor dem Anhalten, damit das Pferd die Hinterbeine weiter unter den Körper zieht.
Einseitige Schenkelhilfe: Seitwärtstreten
Durch Anlegen des rechten Schenkels weicht das Pferd seitwärts nach links aus.

Position 3:
Einseitige Schenkelhilfe: Angaloppieren
Bei Anlegen des rechten Schenkels galoppiert das Pferd auf der linken Hand an.

Die akustischen Hilfen

Pferde gewöhnen sich recht leicht an akustische Kommandos. Voraussetzung dazu ist natürlich, daß wir diese mit großer Konsequenz verwenden. Es müssen klar verständliche Worte sein, die ebenso klar verständlich ausgesprochen werden müssen. Wir sollten darauf achten, daß sich die Vokale der Kommandos nicht allzusehr ähneln, um unbeabsichtigte Verwechslungen auszuschließen. Natürlich sollte man nicht seine Stimmkommandos in einem Redeschwall verstecken, dem das Pferd nur gelangweilt zuhören wird. Die Lautstärke der Stimmkommandos läßt sich mit der Zeit sehr verfeinern. Das Pferd hat ein sehr gutes Gehör, und wenn es aufmerksam genug ist, hört es durchaus auf geflüsterte Kommandos. Es gibt ein harmonischeres Bild ab, wenn das Pferd auf leichte Signale hin folgt, als wenn wir es lautstark anbrüllen müssen.

Weiche Vokale mit tiefer Tonlage gesprochen beruhigen ein Pferd, während kurze, hart gesprochene Vokale mit höherer Stimmlage das Pferd aufwecken bis hin zum Erschrecken. Ein typisches Signal ist auch das Zungenschnalzen, das fast jedes Pferd dazu veranlaßt, schneller zu werden. Diese Stimmhilfen können eine große Unterstützung beim Umgang mit dem Pferd sein.

Nachfolgend die gängigsten Stimmkommandos beim Westernreiten:

Back	zurück, rückwärts
Back up	Rückwärtsrichten
Canter	Galopp
Easy	langsam, verlangsamen
Go	anreiten
Jog	langsamer Trab
Lope	langsamer Galopp
Side Pass	Seitengang rechtwinklig zur Bewegungsrichtung
Trott	Trab
Turn	Wendung
Walk	Schritt
Whoa	stoppen, anhalten, stehenbleiben

Sichthilfen

Die Sichthilfen werden bei der Bodenarbeit angewendet. Richtige Sichthilfen basieren auf der richtigen Anwendung des Sozialverhaltens der Pferde untereinander. Nehme ich meinen Arm hoch und gehe auf das Pferd zu, wird es stehenbleiben beziehungsweise ausweichen und rückwärts gehen. Pferde lassen sich leicht auf die Hand des Menschen fixieren. Sie folgen der Hand auf ein Fingerschnippen hin und führen Befehle auf ein Zeichen der Fingerspitzen hin aus.

Rückwärtsgehen mit Sichthilfen. Dazu ist eine klare Körpersprache nötig.

Exaktes flaches Anlegen des Sporen, als verstärkte Schenkelhilfe.

Sporen und Gerte

Sporen und Gerte sind oftmals als tierquälerisch verschrien. Natürlich sollten Sporen nur von Reitern getragen werden, die ihre Unterschenkel wirklich kontrollieren können und die Fußspitzen parallel zum Pferdekörper tragen und nicht nach außen gerichtet. Eingesetzt werden sollten sie nur von Reitern, die sich in der Ausübung der Schenkelhilfen ausgesprochen sicher sind und die nicht zu Unbeherrschtheit und Wut neigen.

Der richtige Gebrauch von Sporen wird das Pferd für die normalen Schenkelhilfen sensibilisieren. Schlimmer als der richtige Einsatz von Sporen ist das ständige Klopfen von Schenkel und Stiefelabsatz am Pferdeleib. Dies stumpft auch das sensibelste Pferd mit der Zeit ab.

Es gibt verschiedene Möglichkeiten, den Sporen einzusetzen. Man kann ihn punktuell einsetzen, aber auch seitlich flach anlegen. Bei einem Pferd, das auf normalen Schenkeldruck nicht ausreichend reagiert, obwohl es die Lektion kennt und in der körperlichen Verfassung ist, sie auch auszuführen, wird man als erstes den Sporen flach anlegen. Reagiert das Pferd immer noch nicht wie gewünscht, werden wir den Sporen punktuell, aber nicht mit Gewalt einsetzen. Reagiert das Pferd wie gewünscht, legen wir das nächste Mal wieder zuerst nur den Schenkel an, reagiert das Pferd nicht, legen wir die Sporen seitlich an. Wahrscheinlich zeigt das Pferd jetzt schon die richtige Reaktion, und wir brauchen das nächste Mal nur den Unterschenkel anzulegen. Ziel ist es, daß das Pferd schon auf den angelegten Unterschenkel reagiert. Allerdings nimmt die Reaktion des Pferdes auf diese feinsten Hilfen mit der Zeit wieder ab. Dann wird man das Pferd wieder mit leicht angelegten Sporen sensibilisieren. So erhält man beim Pferd die gewünschte hohe Schenkelsensibilität.

Die Gerte, egal ob Longiergerte oder Reitgerte, ist keinesfalls zum Verprügeln der Pferde gedacht. Sicherlich kann man mit einem kräftigen Klaps hinter dem Schenkel damit ein Pferd aufwecken, das Gefahr läuft, beim Reiten einzuschlafen, aber ansonsten wird die Gerte zum „Touchieren" benützt. Beim Westernreiten selten, aber notwendig bei der Bodenarbeit.

PFERD UND REITER

Reiten ist naturgemäß eine Belastung für das Pferd. Beim jungen Pferd liegt der Schwerpunkt in der Bewegung weiter vorne als beim älteren Pferd. Kommt nun das Reitergewicht hinzu, tendiert das junge Pferd dazu, auch dieses Gewicht vermehrt mit der Vorhand zu tragen, da die Muskulatur der Hinterhand nicht so weit entwickelt ist, daß sie das vermehrte Gewicht ohne weiteres mittragen kann. Würde das Pferd das Gewicht vorwiegend mit der Vorhand tragen, wäre es sehr unbeweglich und schwerfällig, da ein großer Teil des Gewichtes auf den Schultern lasten würde. Nimmt das Pferd jedoch seine Hinterhufe richtig unter seinen Körper, kann es trotz Gewichtszunahme leicht im eigenen Gleichgewicht gehen. Also müssen wir diese Körperhaltung beim Reiten begünstigen.

Durch entsprechendes Training kann das Pferd durch die kräftigere Muskulatur vermehrt Gewicht auf die Hinterhand nehmen und damit einen größeren Teil seines Gewichtes und dessen des Reiters unterstützen. Dadurch wird die Vorhand entlastet, und das Pferd kann ausbalanciert und leicht voranschreiten. Diese ausbalancierte „Selbsthaltung" ist Voraussetzung dafür, daß das Pferd leichtrittig im Gleichgewicht Tempowechsel und Richtungsänderungen vollziehen kann. Dabei ist der Antritt des Pferdes schwungvoll nach vorne/aufwärts gerichtet. Der Hals wölbt sich leicht vom Widerrist bis zum Genick, der Pferdekopf selbst neigt sich leicht abwärts. Ein starker Sehnenstrang vom Kopf bis zur Schweifrübe sowie die kräftigen Muskeln am Hals zwischen Kopf und Schulter sowie parallel zur Wirbelsäule sorgen für ausreichende Stabilität. Durch das Senken des Kopfes zieht dieser starke Sehnenstrang nach vorne, die Muskeln an der Wirbelsäule ziehen den Rumpf vorwärts, der Rücken wölbt sich nach oben. Dies ist ein sehr ausgeklügeltes Zusammenspiel von Muskeln, Bändern und Sehnen. Erreicht werden kann dieser Effekt nur, wenn das Pferd im eigenen Gleichgewicht geht. Ohne Reiter fällt ihm das natürlich nicht schwer, aber mit Reiter müssen wir dafür sorgen, daß es weiterhin im Gleichgewicht gehen kann, ohne daß wir es dabei behindern. Auch beim Westernreiten hat ein Pferd aus oben angeführten Gründen versammelt zu laufen, ansonsten würde seine Rückenmuskulatur nicht ausreichend trainiert werden, um das Reitergewicht problemlos tragen zu können, zudem würden die Muskulatur, die Sehnen, Bänder und Gelenke der Vorhand viel zu stark belastet werden.

Der Schwerpunkt des Pferdes verändert sich in den verschiedenen Gangarten. Je nach Ganggeschwindigkeit wird der Schwerpunkt weiter nach vorne gebracht, um den Vorwärtsimpuls zu erhalten, auch wenn die Hinterhand weit unter den Pferdeleib untersetzt. Dies erreicht das Pferd mit seiner Kopfhaltung. Wird der Hals gestreckt und der Kopf gesenkt, verschiebt sich der Schwerpunkt nach vorne. Man kann dies nicht dadurch herbeiführen, indem man ein Pferd ausbindet, also gezwungenermaßen in diese Position bringt. Der Schwerpunkt des Pferdes kann nie statischer Natur sein, sondern ist von vielen Faktoren abhängig. Das Pferd muß selbsttätig seinen Schwerpunkt verlagern können, wie es den Gegebenheiten entspricht, um im eigenen Gleichgewicht gehen zu können. Dies schließt natürlich nicht aus, daß wir ein junges Pferd dabei unterstützen dürfen, allerdings nicht mit irgendwelchen Zwangsmaßnahmen. Solche Maßnahmen führen nur zu immer stärker werdenden Verkrampfungen im Pferd, letztendlich zu Erkrankungen. Gerade für das unerfahrene Pferd ist die Bewegungsfreiheit im Hals- und Kopfbereich sehr wichtig, um die neuen Schwerpunktverhältnisse beim Gerittenwerden erst einmal kennenzulernen und selbst ausbalancieren zu können.

Wir möchten, daß das Pferd sich selbst und uns ausbalanciert trägt. Es soll nicht nur nach rechts oder links gehen, sondern auch zuverlässig beschleunigt und gebremst werden können, sowie auch dazu in der Lage sein, rückwärts zu gehen oder schnelle Wendungen und Seitengänge auszuführen. Wenn wir uns ein fertig

Ein versammelt und ausbalanciert gehendes Westernpferd im Trab.

ausgebildetes Pferd ansehen, ist es offensichtlich, daß es mit einem bißchen Ziehen am Zügel nicht getan ist. Reiterliche Hilfen sind eine Vereinbarung zwischen Pferd und Reiter. Sie basieren auf für das Pferd artgerechten, also logischen Verhaltensweisen. Es geht darum, eine funktionierende Kommunikation mit dem Pferd herzustellen. Das Pferd soll unsere Wünsche verstehen, und wir müssen auch seine Bedürfnisse erkennen können.

Haben wir eine solche Kommunikationsebene mit dem Pferd gefunden, werden wir anfangen, unsere Hilfen zu verfeinern. Am Anfang weicht das Pferd zum Beispiel einem Druck aus. Zeigen wir dem Pferd immer wieder durch positives Feedback, daß dies eine gewünschte Reaktion ist, wird es zuverlässig auf diesen Druck reagieren. Es hat verstanden, was wir von ihm wollen. Jetzt können wir den auslösenden Reiz wieder vermindern, denn es weicht nicht mehr dem eigentlichen Druck aus, sondern den Reizen, die diesem Druckausüben vorweggehen. Nur so ist es möglich, ein wirklich fein gerittenes Pferd zu bekommen.

Bei der Ausbildung eines Pferdes muß man ihm Gelegenheit dazu geben, positiv zu reagieren. Man muß dem Pferd einfach die erwünschte Reaktion angenehm machen. Druck erzeugt immer Gegendruck, nicht nur beim Pferd. Kräftemäßig ist auch der stärkste Mann dem Pferd weit unterlegen. Man sollte beim Training nicht eine Bestrafung herausfordern wollen, sondern eine Belohnung, eine positive Bestätigung. Man muß dem Pferd Zeit zum Lernen und Verstehen geben. Es braucht Phasen der Erholung und Entspannung. Auch ein Pferd liebt die Abwechslung. Kein Pferd läuft gerne eine halbe Stunde Kreise auf der Reitbahn.

Der Reiter muß unbedingt nüchtern auf das Verhalten des Pferdes reagieren. Bei Überschwang kommt selten das Richtige heraus. Der Reiter sollte ständig um Wissen und Erkenntnis bemüht sein und die Ansprüche des Tieres berücksichtigen. Kooperation steht über allem. Sich einfühlen können, verstehen können. Ein Pferd ist wie ein normaler Mensch, es reagiert nicht einfach grundlos.

Solch gezieltes Handeln setzt gerichtetes Denken voraus. Man könnte auch sagen, eine gewisse Art von Konzentration. Um irgendeine Arbeit effektiv erledigen zu können, muß ich mich darauf konzentrieren. Bin ich darin ausreichend geübt, kann ich den angestrengten

Gedanken wieder fallen lassen und komme mehr dazu, einfach meine Aufmerksamkeit zu richten auf...! Wer schon etwas von Mentaltraining erfahren hat, weiß, wovon ich rede. Jeder Sportler wird heutzutage mittels Mentaltraining konditioniert. Dies bedeutet eine Art von gleichzeitiger Konzentration und Sich-Fallen-Lassen. Ich muß mir das, was ich bezwecke, vor mein geistiges Auge holen, wie auf eine innere Leinwand. Wenn ich auf dem Reitplatz einen Zirkel reiten will, muß ich diesen Zirkel zuerst im Kopf haben. Es reicht nicht aus, das Pferd einfach laufen zu lassen und dann zwischendrin einfach eine Richtung auf den Zirkel zu nehmen, dann wieder laufen zu lassen usw. Was soll das Pferd denn anderes machen, als einfach kreuz und quer zu laufen. Wenn wir selber nicht genau wissen, wohin wir wollen, wie soll es dann das Pferd wissen? Wenn wir uns in der Hauptsache mit den Problemen des Tages beschäftigen und nebenher einen Zirkel reiten wollen, dann wird der Zirkel auch wie nebenher geritten aussehen. Dafür kann das Pferd aber nichts. Es setzt nur unsere innere Gedankenwelt um. Nicht nur beim erwachsenen Pferd, sondern gerade beim jungen, noch nicht ausgebildeten Pferd ist das klare Denken sogar äußerst wichtig, denn es muß uns erst einmal „lesen“ lernen.

Das klare, gerichtete Denken bewirkt unter anderem völlig unbewußt kleinste muskuläre Veränderungen in unserem Körper, auf die das Pferd schnell zu reagieren lernt. Und klares Denken führt sehr schnell zum Erfolg. Beim Reiten genauso wie sonst im Leben.

Wenn Sie mit Ihrem klaren Denken bei der Ausbildung Ihres Pferdes dafür sorgen, daß es Spaß hat, Erfolgserlebnisse sammeln kann, daß die Arbeit also eine Quelle ständig positiver Anregung ist, so wird das Tier mit erstaunlicher Freude und Begeisterung bei der Sache sein, und Ihnen als Reiter wird dieses harmonische Reiten wirklich Spaß machen.

TRAINER

Der Trainer ist dazu da, dem Reitschüler zu helfen, Reitkenntnisse und Selbstvertrauen zu entwickeln. Jeder Reitschüler hat sein eigenes Lerntempo, auf das der Trainer Rücksicht nehmen sollte. Die Reitschüler sollen die Gelegenheit haben, zu erfahren, wie bei den einzelnen Übungen ihre Gedanken ihren Körper beeinflussen und damit auch ihre Pferde. Schüler sollen Fragen stellen können, wie auch Trainer fragen sollen, um den Schülern die Möglichkeit zu geben, selbst auf einen bestimmten wichtigen Punkt zu kommen. Der Reitschüler sollte Zeit genug haben, um eine Übung ausreichend lange probieren zu dürfen, wobei er seine Erfahrungen und Gefühle erforschen kann. Der Schüler kommt hierdurch dazu, an eigenen Projekten und vorhandenen Schwierigkeiten arbeiten zu können. Die Rolle des Trainers besteht in der Erhellung dieser Schwierigkeiten und in der Ermutigung des Reitschülers, Fragen zu stellen, um seine Gedanken auf körperliche Empfindungen lenken zu können. Dadurch wird ein positives Feedback möglich, das Entspannung für den Reiter wie auch für das Pferd bringt. Nicht nur der Trainer gibt dem Schüler ein Feedback, sondern auch das Pferd. Man muß lernen, in das Pferd hineinhorchen zu können. Exakt gleiche Hilfen wirken nicht exakt gleich bei verschiedenen Pferden. Ein einfaches Beispiel ist die Zügellänge. Je nach Körperbau und Ausbildungsstand des Pferdes kann die richtige Zügellänge durchaus unterschiedlich sein. Es geht darum, daß der Trainer dem Schüler hilft, seine eigene Intuition zu entwickeln und ihm dabei beibringt, locker und entspannt in richtiger Weise auf seinem in Balance gehenden Pferd zu sitzen.

Der Reitschüler sollte keine Skrupel haben, in aller Ruhe nach dem für ihn geeigneten Trainer Ausschau zu halten. Er kann dabei anderen Schülern beim Reitunterricht zusehen, um den Umgangston des Trainers beurteilen zu können, er kann den Trainer auch im Umgang mit seinen Pferden beobachten, und letztendlich soll er sein eigenes Gefühl sprechen lassen, ob ihm dieser Trainer zusagt oder nicht.

GANGARTEN

Das Pferd soll selbständig laufen und nicht eingeschüchtert oder gehemmt vorwärtsgehen. Es soll natürlich und harmonisch vorwärtslaufen. Trägt es den Kopf sehr hoch oder verkriecht es sich hinter der Senkrechten, ist dies ein Zeichen von zu wenig Selbständigkeit und Selbstbewußtsein. Das Pferd soll keine schlurfenden Gangarten besitzen, sondern schwungvolle, ruhige und taktreine Gänge. Es soll in jeder Gangart ausbalanciert im Gleichgewicht laufen. Um das Pferd in seinem natürlichen Bewegungsablauf nicht zu stören, ist es notwendig, daß der Reiter in völliger Balance sitzen kann. Setzen Sie sich auf ein ruhiges Longenpferd und versuchen Sie freihändig zu sitzen, ohne sich mit den Beinen oder den Knien festzuhalten. Dabei merkt man sehr schnell, wie gut es mit der eigenen Balance bestellt ist. Sitzt man in wirklicher Balance auf dem Pferd, kann man die Arme nach oben oder zur Seite strecken, auch die Beine losgelöst vom Pferdekörper schwingen lassen, ohne dabei aus dem Gleichgewicht zu geraten. Ein guter Reiter kann dies in jeder Gangart des Pferdes tun, ohne das Gleichgewicht des Pferdes zu stören. Nur ein solch guter Reiter kann ein Pferd wirklich schonend reiten.

Schritt - Walk

Der Schritt ist die gemütlichste und unkomplizierteste Fortbewegungsart des Pferdes. Der Reiter wird nicht vom sich bewegenden Pferdekörper hin und her geworfen, und die Gefahr herunterzufallen ist äußerst gering. Der Schritt des Pferdes ist eine Gangart im Viertakt. Das Pferd hat immer zwei bis drei Beine gleichzeitig auf dem Boden. Sein Körper befindet sich zu keinem Zeitpunkt in einer Schwebephase. Jeder einzelne Schritt ist über die Wirbelsäule und den Sattel für den Reiter zu spüren. Der Schritt ist die einfachste Gangart, um zu erfühlen, wie sich ein ausbalancierter Sitz für den Reiter anfühlen soll.

Balanceübung ohne Steigbügel, im Schritt an der Longe. Kreisen des Kopfes dient der Lockerung der Schultermuskulatur.

Ein Reitanfänger sollte entsprechende Übungen erst einmal auf einem Pferd an der Longe ausüben, aber auch einem erfahrenen Reiter kann es nicht schaden, sich einmal derart bewußt mit seinem Pferd auseinanderzusetzen, bis er jederzeit fühlt, wo sich die Pferdebeine unter ihm befinden.

Um sich richtig in den Schritt des Pferdes einzufühlen, sollte man sich auf das Pferd setzen, ohne die Füße in den Steigbügeln zu haben. Versuchen Sie, locker und aufrecht auf dem Pferd zu sitzen. Stellen Sie sich vor, Sie würden am obersten Punkt des Kopfes mit einer Schnur in die Höhe gezogen. Bewegen Sie sich auf dem Pferd, spannen Sie bewußt die Schultermuskulatur an, und lassen Sie diese wieder locker, um möglichst nicht verkrampft auf dem Pferd zu sitzen. Rollen Sie den Kopf in beide Richtungen, um die Halsmuskulatur zu entspannen. Versuchen Sie dazwischen immer wieder, der gedachten senkrechten Fallinie ein Stück näher zu kommen. Nicht zwanghaft, sondern locker und entspannt. Lassen Sie die Arme frei hängen, kreisen Sie mit den Schultern, um die Muskulatur zu entspannen. Heben Sie die Arme zur Seite, nach oben oder lassen Sie ihre gesamten Arme kreisen.

Setzen Sie sich richtig auf Ihre zwei Sitzknochen. Verlagern Sie ihr Gewicht vom rechten auf den linken Sitzknochen und umgekehrt. Spüren Sie, wie Sie ihr Gewicht verlagern können, ohne den restlichen Körper viel zu bewegen? Jetzt versuchen Sie aus der Hüfte zu kreisen, um auch hier die Muskulatur zu entspannen. Lehnen Sie sich zur Seite, nach vorne und nach hinten.

Ähnliches läßt sich mit den Beinen machen. Lassen Sie diese ganz locker hängen. Lassen Sie ihre Beine immer länger werden, als ob sie bis zum Boden reichen würden. Umschließen Sie mit ihren gesamten Beinen ganz locker den Pferdeleib, ohne die Unterschenkel oder die Füße anzuklammern. Versuchen Sie ihre Knie locker und entspannt so tief wie möglich zu bringen, dadurch wird die innere Oberschenkelmuskulatur gedehnt. Nun versuchen Sie, mit den Unterschenkeln locker hin und her zu schwingen, ohne die Position der Oberschenkel und der Knie zu verändern. Damit lockern Sie ihre Muskulatur um das Knie, und die Unterschenkel werden frei beweglich. Wenn die Oberschenkelmuskulatur genügend elastisch ist, liegt die Innenseite locker am Sattel an und trägt einen Teil des Reitergewichtes mit. Je lockerer Sie gerade auf dem Pferd sitzen, desto mehr wird das Reitergewicht auf die Sitzbeine, die Hüften und die Oberschenkel verteilt. Das Gewicht soll kaum in die Steigbügel gebracht werden. Versuchen Sie es selbst, wenn Sie zuviel Gewicht in die Steigbügel verlagern, spannt sich sofort die Innenseite der Oberschenkelmuskulatur an. Dadurch wird sie hart, und man fühlt sich sofort durch die Bewegung des Pferdes im Sattel gestoßen. Das fließende, leichte Mitgehen mit der Bewegung des Pferdes wird hierdurch gestört, und auch für das Pferd ist dieser Sitzstil für die Wirbelsäule und die Muskulatur belastender.

Um auch in schnelleren Gangarten stabil im Gleichgewicht sitzen zu können, müssen Sie soviel Kontakt wie möglich mit dem Pferd haben. Sie müssen versuchen, locker und fließend mit den Bewegungen des Pferdes mitzugehen, also im entspannten Kontakt zum Pferderücken, sonst werden Sie im Sattel gestoßen.

Um wirklich entspannt sitzen zu können, muß man auch tief und entspannt atmen können. Konzentrieren Sie sich auf das Atmen und versuchen Sie, durch ihren ganzen Körper hindurch zu atmen. Der Atem fließt in den Kopf und bis in die Fußspitzen. Versuchen Sie langsam, tief und entspannt einzuatmen und wieder auszuatmen. Halten Sie die Luft ein paar Sekunden an, Sie werden merken, wieviel Spannung das in ihrem Körper verursacht, und atmen Sie dann entspannt ruhig weiter. Wenn man Angst hat, hält man unbewußt den Atem an, und dies führt automatisch zu Verspannungen im Körper. Diese Verspannungen bemerkt das Pferd sofort. Oftmals scheuen Pferde nicht, weil sie sich selbst fürchten, sondern weil wir uns in Erwartung vor etwas fürchten. Ist man unsicher, sollte man immer daran denken, ruhig und gelassen tief durchzuatmen. Viele Spannungen kann man damit regelrecht wegatmen. Auch bei den besprochenen Übungen muß man, gerade am Anfang, darauf achten, ruhig weiterzuatmen. Wenn wir uns stark auf etwas konzentrieren, neigen die meisten Menschen dazu, unbewußt ihren Atem anzuhalten.

Konzentrieren Sie sich auf die Übungen, atmen Sie bewußt tief weiter und versuchen Sie trotz allem jegliche Anstrengung fallen zu lassen. Richten Sie Ihre Aufmerksamkeit auf die Übungen, auf Ihren Atem, auf Ihr Pferd, und mit der Zeit werden Sie merken, daß Sie alle Wahrnehmungen in einem Zustand ruhevoller Wachheit wahrnehmen können. Dies ist der Zustand, in dem wir mit minimalen Hilfen unser Pferd steuern können.

Wenn Sie Ihren richtigen Sitz gefunden haben, richten Sie Ihre Aufmerksamkeit auf das Pferd. Fühlen und hören Sie die vier verschiedenen Schritte der Pferdebeine. Achten Sie darauf, wann der linke Hinterfuß nach vorne kommt. Nach dem Aufsetzen schwingt der Pferdebauch darüber, und während das Pferd auf diesem Fuß Gewicht aufnimmt, hebt sich sein Rücken und damit auch Ihre linke Gesäßhälfte. Die Hinterhand geht weiter zurück, und bevor sie beginnt, sich vom Boden zu heben, senkt sich der Rücken und damit senkt sich auch unsere linke Gesäßhälfte. Entsprechend passiert dies auf der rechten Seite. Fühlen Sie, wie das Pferd Ihren Körper bewegt.

Exakter Sitz im Schritt.

Spüren Sie, wie diese Bewegung sich auf Ihre Beine, Ihre Hüfte, Ihr Gesäß, Ihren Rücken, Arme und Schultergürtel auswirkt. Wenn Sie ruhig und entspannt auf dem Pferd sitzen, fühlen Sie die vier Pferdebeine unter sich, als ob es Ihre eigenen wären. Sitzen Sie in dieser Weise auf dem Pferd, behindern Sie nicht seinen freien Bewegungsablauf. Verspannen Sie jedoch während dieses normalen Bewegungsablaufes die Muskulatur ihrer Hüfte oder ihrer Oberschenkel, stören Sie den freien und ungezwungenen Bewegungsablauf des Pferdes. Dies führt wiederum beim Pferd zu Muskelverspannungen, die ihrerseits den Reiter dann wieder unbequem sitzen lassen, der sich daraufhin verspannt und so weiter. Schwingen Sie mit Ihrem Sitz richtig in der Bewegung des Pferdes mit und lassen Sie Ihre Sitzbeine mitgleiten, ohne es damit anzutreiben, wird es einen immer raumgreifenderen, entspannteren Schritt bekommen. Rücken und Hals des Pferdes strecken sich leicht in der Bewegungsrichtung nach vorne / unten, der Schwerpunkt des Pferdes verlagert sich ganz leicht nach vorne, sein Vorwärtsdrang wächst. Wollen Sie den Schritt Ihres Pferdes verkürzen, verkürzen Sie das Mitgleiten Ihrer Sitzbeine, allerdings ohne sich dabei zu verspannen. Daraufhin wird das Pferd seine Schrittlänge verkürzen.

Achten Sie immer wieder darauf, daß Ihr Atem frei und ungezwungen ist. Versuchen Sie dem Schwung der Schritte des Pferdes nach oben wie auch nach unten nachzugeben. Dies ist in schnelleren Gangarten besonders wichtig, um den Rücken des Pferdes entlasten zu können.

Alle diese Übungen sind nicht nur als Übungen für Anfänger gedacht, sondern sollten auch von geübten Reitern immer wieder ausgeübt werden, um so den Kontakt zwischen Pferd und Reiter zu verbessern.

Gehen wir davon aus, daß der Reiter Schritt reiten kann, und kommen wir nun zum Pferd. Viele Pferde besitzen einen zu kurzen, zu eiligen oder taktunreinen Schritt. Der Grund dafür ist meist in der Grundausbildung des Pferdes zu finden. Oftmals wird schon beim jungen Pferd versucht, es auch im Schritt versammelt gehen zu lassen, den Kopf in der später erwünschten Position nahe der Senkrechten. Wird ein junges Pferd langsam und richtig gymnastiziert, nimmt es zu dem Zeitpunkt, an welchem die Muskulatur des Pferdes dementsprechend ausgeprägt ist, auf leichte Hilfen hin fast wie von selbst die erwünschte Haltung ein. Zwingt man ein junges Pferd zu früh in diese versammelte Körperhaltung, verliert es jeden Spaß daran, im Schritt zügig vorwärtszugehen. Wir verderben damit seinen natürlichen Vorwärtsdrang. Beim jungen Pferd achten wir im Schritt vor allen Dingen auf die Taktreinheit der Bewegungen. Das junge Pferd darf eine ihm angenehme Kopfhaltung einnehmen, die Zügel werden so wenig wie möglich benützt, und falls das Pferd einen taktunreinen Schritt zeigt, werden die Unterschenkel im Takt des Schrittes angelegt. Das bedeutet: Tritt das linke Hinterbein nach vorne, wird der linke Unterschenkel mit leichtem Druck angelegt, fußt das Pferd auf, läßt man den Druck weg. Geht das rechte Hinterbein nach vorne, wird der rechte Unterschenkel leicht angelegt. Dies führt man fort, bis das Pferd einen taktreinen Schritt aufweist. Ist dies der Fall, fallen die treibenden Hilfen mit den Unterschenkeln weg. Man achtet auf das Pferd, ob es auch ohne Hilfen taktrein weiterläuft. Fängt es an, wieder taktunrein zu laufen beginnt man mit der Korrektur wieder von vorne. Später, wenn das Pferd genügend gymnastiziert wurde kann es auch versammelt im Schritt geritten werden.

Beim erwachsenen Pferd treten im allgemeinen zwei Fehler im Schritt auf. Entweder, es eilt zu sehr, wird also immer schneller, oder es macht nur kurze Schritte und wird, wenn man es antreibt, nur eiliger in der Schrittfolge, statt längere Schritte zu machen. Das zu langsame Pferd wird korrigiert wie beim jungen Pferd angegeben. Man läßt es am hingegebenen Zügel mit den entsprechenden Schenkelhilfen einen taktreinen Schritt laufen. Mit der Zeit werden die Schritte immer länger werden, dann können wir anfangen, wieder in eine leicht versammelte Körperhaltung überzugehen. Wird ein Pferd hingegen im Schritt zu hastig, lenken wir es sofort in eine Volte, also einen kleinen Kreis. Ein kleiner Kreis ist anstrengender für das Pferd zu laufen als geradeaus, und nahezu jedes Pferd wird langsamer, wenn es in eine Volte geritten wird. Läuft das Pferd in der Volte den Schritt in der gewünschten Geschwindigkeit, reiten wir wieder geradeaus weiter. Beginnt das Pferd wieder zu eilen, lenken wir es wieder in eine Volte. Eine andere Möglichkeit besteht darin, das eilende Pferd anzuhalten und sofort ein paar Schritte rückwärts treten zu lassen. Dann kurze Pause und wieder im Schritt anreiten. Dies läßt sich allerdings schlecht mit sehr temperamentvollen Pferden machen, da diese sich unter Umständen zu sehr aufregen und immer hastiger werden. Diese Pferde sind eher mit dem beschriebenen Voltenreiten zu korrigieren.

Übungen, um den Schritt zu korrigieren, sollten niemals zu lange hintereinander ausgeführt werden. Das Pferd wird dadurch schnell gelangweilt und immer schlampiger in der Ausführung. Eine gute Gymnastizierung, auch in den Seitengängen, verbessert auch den Schritt des Pferdes.

Trab - Trott - Jog

Versuchen Sie auch beim Traben im Rhythmus der Bewegung Ihres Pferdes zu bleiben. Der Trab ist eine Gangart im Zweitakt. Es bewegt sich immer ein diagonales Beinpaar gleichzeitig nach vorne. So hebt das linke Hinterbein gleichzeitig mit dem rechten Vorderbein ab. Kurz bevor dieses vorschwingende Beinpaar auffußt, hebt das andere Beinpaar, also das rechte Hinterbein und das linke Vorderbein ab. Achten Sie wie beim Schritt auf den Bewegungsablauf der Hinterbeine des Pferdes und die damit verbundenen Bewegungen Ihrer Hüfte. Zwischen dem Auffußen der diagonalen Beinpaare gibt es eine kurze Schwebephase. In dieser Schwebephase befindet sich das Pferd auf dem höchsten Punkt der Bewegung, beim Auffußen auf dem niedrigsten. Das bedeutet, daß wir eine größere Auf- und Abwärtsbewegung als beim Schritt verspüren. Im Trab schwingt der Sattel nur nach oben und unten und nicht seitwärts wie im Schritt. Ihr Sitz muß diesem ganzen Bewegungsablauf rhythmisch und ent-

Freihändige Longenarbeit im Trab.

spannt folgen können, was für den Reitanfänger ein großes Problem bedeutet.

Das Entscheidende beim Traben ist, locker in die Abwärtsbewegung mitzugehen, ohne mehr Gewicht in die Steigbügel zu bringen. Belasten wir die Steigbügel zu stark, verspannt sich sofort die Innenseite unserer Beinmuskulatur. Die Muskulatur wird dabei hart, und wir können der Bewegung des Pferdes nicht mehr weich folgen. Dasselbe passiert, wenn sich ein Reitanfänger mit den Beinen ans Pferd klammert. Ganz abgesehen davon, daß er natürlich mit dem damit verbundenen Schenkeldruck auch noch das Zeichen zur Beschleunigung gibt. Schaffen wir es, der Abwärtsbewegung des Pferdes leicht und locker nachzukommen wie im Schritt, hebt uns das Pferd von alleine wieder in unsere Ausgangslage. Sehen wir einem trabenden Reiter zu, merken wir, daß die Auf-/Abwärtsbewegung nicht so groß ist, wie sie einem vorkommt, wenn man selbst auf dem Pferd sitzt. Das liegt daran, daß wir den Höhenunterschied zumindest zum Teil mit unserer elastischen Wirbelsäule auffangen. Dazu gehört natürlich eine entspannte, aber aufrechte Körperhaltung. Kopf und Hals müssen frei ausbalanciert sein, der Rücken muß lang und beweglich sein, ohne ein Hohlkreuz zu machen, dann ist der Federungseffekt am größten. Auch im Beckenbereich gibt es einen Federungseffekt durch die spezielle Verbindung von Kreuzbein, dem hinterem Teil des Beckens, Hüften und Oberschenkel. Die Federung des Beckens kann allerdings nur entstehen, wenn das Becken in waagerechter Lage ist. Kippen Sie Ihr Becken in eine verkehrte Richtung nach rechts oder links, fehlt ein Teil des Stoßdämpfereffektes. Dies ist für Sie ebenso unangenehm wie für Ihr Pferd.

Beim Traben müssen Sie vor allen Dingen einen weichen, elastischen unteren Rücken haben, um sanft mit der Bewegung des Pferdes mitgehen zu können. Auch hier ist es zweckdienlich, die Übungen an der Longe zu machen, die wir im Schritt geübt haben. Wir heben erst eine, dann auch beide Hände erst auf die Seite, später über den Kopf und versuchen, locker in der Hüfte und den Beinen der Bewegung zu folgen. So lernen wir unabhängig von Beinen und Armen zu sitzen und werden nicht dazu verleitet, uns später an den Zügeln festzuhalten. Auch für den fortgeschrittenen Reiter ist dies eine gute Gleichgewichtsübung, die zudem die Schultermuskulatur entspannt und uns darauf achten läßt, die Hüfte ruhig zu halten. Fühlen wir uns einigermaßen sicher, können wir eine Vielzahl von Bewegungen ausführen. Wir können uns weiter nach vorne oder weiter zurück beugen, um festzustellen, wie sich der Bewegungsablauf verändert, dabei lernen wir uns auf dem Rücken des Pferdes immer sicherer zu fühlen, auch wenn es einmal eine unerwartete Bewegung machen sollte.

So wie wir lernen, den Oberkörper und die Hüfte entspannt auszubalancieren, so lernen wir auch, unsere Beine beim Traben ruhig zu halten. Nur Beine mit steifen Gelenken und steifer Muskulatur lassen sich nicht ruhig halten. Elastische Gelenke setzen ein gewisses Maß an Training voraus, das durchaus nicht nur auf dem Pferderücken erfolgen sollte. Vor allen Dingen Anfänger sollten sich mit entsprechenden gymnastischen Übungen vorbereiten. Dies beugt vielen Verspannungen vor. Sehen wir einen Reiter, der im Trab über seinem Pferd zu schweben scheint, liegt das an den lockeren Gelenken des Reiters, verbunden mit der entsprechenden Spannung der Muskulatur, dort wo sie zur Aufrechterhaltung der richtigen Körperhaltung notwendig ist. Damit

Exakter Sitz im Trab mit einhändiger Zügelführung.

werden die Trabbewegungen des Pferdes aufgefangen und gedämpft. Mit der entsprechenden Übung umschließen die Beine lang, leicht und locker den Pferdeleib, ohne irgendeinen Druckimpuls auszuüben. Der Fuß liegt beinahe gerade im Steigbügel, parallel zum Pferd, ohne die Fußspitzen nach außen zu drehen. Dies würde einen Druckimpuls mit dem Absatz oder dem Unterschenkel auf das Pferd ausüben.

Diese perfekte Beinhaltung erfordert lange Zeit des Trainings, um Gelenke und Sehnen elastisch zu machen. Man sollte nie mit Macht den Absatz tief heruntertreten oder die Fußspitzen mit Macht einwärts drehen. Dies führt nur zu starken Verspannungen in der Muskulatur bis hin zu Schmerzen. Man sollte sich langsam an den möglichen Punkt herantasten, der noch angenehm ist, aber ein leicht ziehendes Gefühl erweckt. Diesen Spannungszustand sollte man für ein paar Sekunden halten, dann wieder entspannen. Übt man dies bei jedem Reiten einige Male, dann wird man nach ein paar Monaten bemerken, wie viel beweglicher man mit der Zeit geworden ist.

Für den Reitanfänger ist es am leichtesten, das Traben durch ein langsames Trabtempo zu erlernen. Am besten geeignet hierzu ist der Jog. Jog ist schneller als Schritt, aber langsamer als normaler Trab. Im Jog können trainierte Pferde und Reiter stundenlang reiten und dabei große Strecken zurücklegen, ohne Pferd oder Reiter zu überstrapazieren. Auch beim Distanzreiten wird aus diesem Grunde gerne Jog geritten. Läuft das junge oder auch erwachsene Pferd ein normales Trabtempo, versuchen wir, es mit möglichst wenig Zügelhilfen, sondern mit Stimme und leichter Schwerpunktverlagerung zu verlangsamen. Zu der entsprechenden Stimmhilfe „langsam" oder „easy" gehen wir mit dem Oberkörper nur leicht zurück, um den Schwerpunkt etwas nach hinten zu verlagern. Verlangsamt das Pferd nicht, nehmen wir nur leicht und kurz die Zügel etwas an und lassen sie dann wieder locker. Die Beine, Oberschenkel, Knie und Unterschenkel hängen locker in gerader Position nach unten, ohne irgendwelchen Druck auszuüben. Verlangsamt das Pferd wie gewünscht, nehmen wir wieder die normale Grundposition ein. Merken wir, daß das Pferd dabei ist, in den Schritt zu fallen, verlagern wir leicht unseren Schwerpunkt nach vorne, gehen mit der Zügelhand/-händen leicht nach vorne, und reicht dies nicht, um das Pferd im Trab zu halten, legen wir ganz leicht die Unterschenkel an. Jogt das Pferd weiter, nehmen wir auch hier sofort wieder die neutrale Grundposition ein. Oftmals hört man von Pferden mit „weichen"

Exakter Sitz im Trab mit beidhändiger Zügelführung.

oder mit „harten" Gängen. Dies bezieht sich im allgemeinen darauf, wie leicht das Pferd zu sitzen ist. Im besonderen merkt man dies im Trab. Besitzt der Reiter einen guten Balancesitz, wird er sicherlich beide Pferde sitzen können, das „harte" Pferd wirft allerdings wesentlich mehr in der Trabbewegung als das „weiche". Zum Teil kann dies am Körperbau des Pferdes liegen, meistens liegt es eher an seiner mangelnden Gymnastizierung. Diese Pferde haben eine steife und verspannte Muskulatur, was psychisch oder auch physisch bedingt sein kann. Hat ein Pferd genügend Auslauf, also Möglichkeiten, sich stundenlang am Tag bewegen zu können, wird es eine wesentlich elastischere, weichere Muskulatur besitzen als ein Pferd, das 23 Stunden am Tag in seiner Box steht. Es wird auch psychisch wesentlich ausgeglichener sein. Man sollte viel Entspannungsarbeit mit Gymnastizierungsarbeit abwechseln. Man kann zur Entspannung am relativ langen Zügel viel Schritt im Gelände reiten, dazwischen kurz traben und wieder Schritt gehen. Zur Abwechslung und Gymnastizierung kann man dabei zum Beispiel Schlangenlinien um Bäume reiten, das Pferd über umgefallene Baumstämme treten lassen und vieles mehr. Natürlich nur dort, wo das Gelände dies zuläßt, ohne Förster oder Landwirte zu verärgern. Auch Seitengänge, ob im Gelände oder in der Bahn geritten, erst einmal im Schritt später im Trab, gymnastizieren das Pferd und beseitigen dabei Verspannungen.

Longenarbeit im Galopp.

Galopp - Canter - Lope

Die Gangart Galopp besteht aus einem Dreitakt und beinhaltet ebenso wie der Trab eine Schwebephase. Der Rücken des Pferdes wölbt sich nach oben und bewegt sich dabei wie ein Schaukelstuhl. Beim Galopp auf der „linken Hand" herrscht folgende Fußfolge: rechter Hinterfuß, dann gleichzeitig linker Hinter- und rechter Vorderfuß, dann der linke Vorderfuß, zuletzt die Schwebephase, bevor wieder der rechte Hinterfuß vorgreift. Für den Reiter besteht der Galopp aus einem erheblichen Auf- und Abschwung des Pferderückens.

Im Galopp muß im besonderen der Unterkörper des Reiters mitschwingen und sich elastisch dehnen können. Haben wir beim Traben gelernt, unsere Hüftgelenke locker mitschwingen zu lassen und dabei die Schultern ruhig zu halten, macht dies auch im Galopp kaum Schwierigkeiten. Die weiche Schaukelbewegung des Galopps ist für die meisten Reiter leichter zu reiten als der Trab, aber durch die größere Geschwindigkeit und die damit verbundene Angst, das Pferd nicht mehr kontrollieren zu können, verspannen sich viele Reiter. Greift das Vorderbein vor, befindet sich der Rücken des Pferdes in seiner tiefsten Position. Wenn das Hinterbein, gefolgt von den zwei anderen Beinen, untertritt, beginnt der Rücken des Pferdes sich nach oben zu bewegen. Lassen Sie sich tief in die Abwärtsbewegung mit hineinziehen und vom Pferd wieder nach oben hinaustragen. Versuchen Sie entspannt zu sitzen und zu atmen und genießen Sie die Schwebephase. An der Longe läßt es sich gefahrlos üben, freihändig zu galoppieren. So wie Klavierspieler mit Händen und Füßen sogar rechts und links unterschiedliche Rhythmen spielen können, so müssen wir lernen, unsere Beine und Arme unabhängig vom Rest unseres Körpers in jeder Gangart des Pferdes bewegen zu können. Wir können beim Freihändig-Galoppieren die Hände vor dem Oberkörper oder dem Bauch verschränken, damit unsere Schultern gerade bleiben.

Wie beim Schritt gibt es auch beim Galopp eine seitliche Bewegung der Sitzbeine. Sitzt man locker, stellt man fest, daß auf einer Seite das Sitzbein, der Oberschenkel und das Knie leicht nach vorne gleiten, auch der Unterschenkel liegt minimal weiter vorn. Versuchen wir

Exakter Sitz im Galopp beidhändig.

uns mit angepreßten Knien am Pferd festzuhalten, wird dieser physiologische Bewegungsablauf behindert. Viele Reiter behindern ihr Pferd im Galopp, indem sie versuchen, dem Pferd ihren Rhythmus aufzudrängen, statt sich dem Rhythmus des Pferdes hinzugeben. Auch die Schwebephase des Pferdes soll nicht willentlich mit einer Aufwärtsbewegung des Beckens verkürzt werden. Dadurch fällt das Pferd aus dem normalen Dreitakt und kommt zu einer unsauberen, ihm gar nicht eigenen Viertaktfußfolge.

Merkt man als Reiter, daß man sich verspannt, egal ob im Trab oder im Galopp, sollte man in eine langsamere Gangart durchparieren und es nach einer kurzen Pause wieder neu versuchen. Am Anfang reichen fünf oder sechs Galoppsprünge aus. Versucht man es über Gebühr lange, verspannt man sich immer mehr. Der Oberkörper sollte auch in der Galoppbewegung gerade, aber nicht steif gehalten werden. Oftmals sieht man Reiter, deren Oberkörper beim Galopp hin- und herschwingt. Wir wollen mit kleinsten Schwerpunktveränderungen reiten, und so können wir uns gut vorstellen, wie verwirrend dies für das Pferd sein muß. Ein Reitanfänger, der sich damit schwer tut, den Oberkörper ruhig zu halten, sollte sich vorübergehend jedesmal, wenn das Pferd vorne hochkommt, leicht in den Bügeln abstützen. Somit kann er leichter mit der Aufwärtsbewegung des Pferdes senkrecht nach oben kommen und auch wieder hinunter, wenn das Pferd vorne abtaucht. Wird der Reitersitz sicherer, wird auch das Gewicht in den Bügeln immer weniger. Zu galoppieren sollte der Reiter erst anfangen, wenn er das Tempo seines Pferdes zuverlässig im Schritt und Trab kontrollieren kann.

Der Galopp des Pferdes ist eine runde, gleichmäßige Gangart. Manchen Pferden fällt das Gleichmaß im Galopp schwer. Dies liegt allerdings meist an einer fehlerhaften Grundausbildung des Pferdes. Das junge Pferd muß ausreichend gymnastiziert sein, bevor man mit der Galopparbeit beginnt. Es gibt einen Rechts- und einen Linksgalopp (näheres bei „Angaloppieren", S. 81). Dieses gezielte Angaloppieren ist erst ab einer bestimmten Ausbildungsstufe möglich, bei der das Pferd durch die entsprechenden Seitengänge gelernt hat, welchen Fuß es wohin setzen soll. Es ist eine bestimmte Schenkelsensibilität notwendig, die leichter mit den Seitengängen erreicht wird und die exakte Galopparbeit vereinfacht.

Der Lope ist ein langsamer Galopp, die Galoppsprünge sind ruhiger und kürzer, das Tempo ist langsamer als beim Canter. Die Gangart ist sanft und ruhig. Canter ist der normale Arbeitsgalopp des Pferdes.

ÜBUNGEN

Aufsitzen / Absteigen

Haben wir unser Pferd ausreichend an der Hand ausgebildet, wird es ohne weiteres beim Aufsitzen stehen bleiben. Wir wollen versuchen, das Pferd beim Aufsitzen so wenig wie möglich aus dem Gleichgewicht zu bringen. Dazu stellen wir uns dicht ans Pferd, im allgemeinen auf die linke Seite, unser Rücken zeigt zum Pferdekopf, die linke Hand hält die Zügel und eine Mähnensträhne fest. Den linken Fuß bringen wir in den Steigbügel, mit der Stiefelspitze nach vorn. Wir stoßen uns etwas vom Boden ab, um Schwung zu holen, schwingen mit dem leicht angewinkelten rechten Bein über die Pferdekruppe, wobei wir die rechte Hand entweder auf dem hinteren Rand des Sattels, dem Cantle, abstützen, oder uns bei jungen Pferden vorne am Sattelhorn festhalten. Sollte ein junges Pferd unbeabsichtigt lospreschen, sitzen wir so schneller sicher im Sattel, als wenn wir erst umgreifen müssen. Beim erfahrenen Pferd ist es schonender, sich am Cantle abzustützen, als sich am Sattelhorn hochzuziehen. Durch die Gewichtsverlagerung wird das Pferd leicht aus dem Gleichgewicht gebracht, was es dazu veranlaßt, sich zu bewegen, um sich wieder unter den neuen Schwerpunkt zu stellen. Wir schwingen leicht mit dem Bein über die Pferdekruppe und lassen uns gefühlvoll in den Sattel gleiten, um dem Pferd nicht in den Rücken zu plumpsen. Stellen Sie sich einmal vor, wie unangenehm es ist, wenn Ihnen ein selbst kleines, leichtgewichtiges Kind auf den Rücken springt. Nun stellen wir auch den rechten Fuß in den Steigbügel und bleiben ruhig sitzen. Beim Aufsitzen muß man unbedingt darauf achten, dem Pferd nicht mit den Stiefelspitzen in den Bauch zu pieksen, denn es soll später ja auf kleinste Signale hin bestimmte Aktionen ausführen. Beim Auf- und Absitzen jedoch soll es ruhig stehenbleiben.

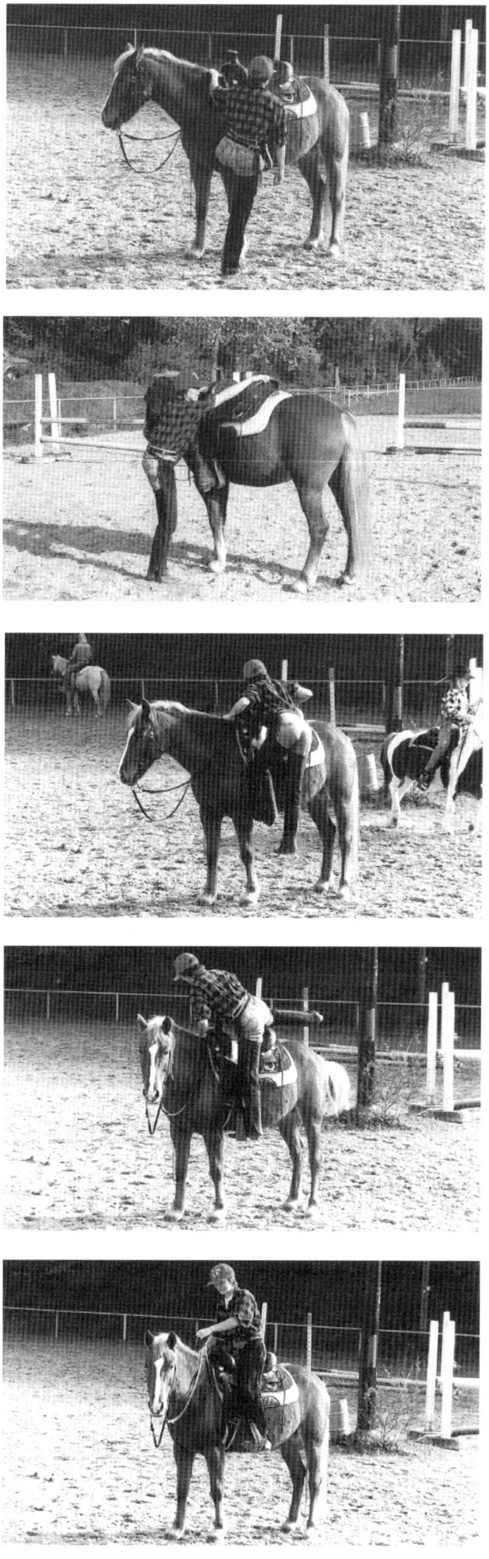

Aufsitzen Methode 1

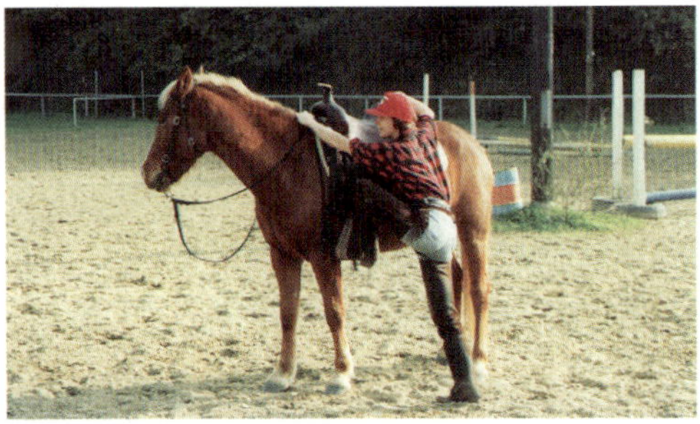

Bei einem jungen oder auch einfach unbekannten Pferd, das einen vielleicht mit seinen Reaktionen überraschen kann, stellt man sich beim Aufsitzen mit dem Rücken zum Kopf des Pferdes, nimmt den linken Zügel etwas kürzer, damit der Kopf des Pferdes nach links zeigt, stellt seinen linken Fuß richtig in den linken Steigbügel und schwingt sich dann in den Sattel wie beschrieben. Hierbei muß man nur mehr darauf achten, daß man das Pferd nicht mit der Stiefelspitze in den Bauch boxt. Der Vorteil besteht darin, daß, falls das Pferd sich wider Erwarten doch in Bewegung setzen sollte, es um uns herumläuft und wir noch genügend Zeit haben, uns in den Sattel zu ziehen, statt auf einem Bein unserem Pferd hinterherzuhüpfen.

Eine andere Möglichkeit (Methode 2) besteht darin, mit unserem Rücken zur Kruppe des Pferdes zu stehen und die linke Fußspitze gleich in Reitrichtung in den Steigbügel zu stellen. So umgehen wir die Möglichkeit, das Pferd beim Aufsitzen mit der Spitze des Fußes in den Bauch zu pieksen.

Das Absitzen erfolgt genau andersherum. Wir nehmen die Zügel in die linke Hand, halten oder stützen uns leicht auf dem Mähnenkamm auf und schwingen mit dem angewinkelten rechten Bein über die Pferdekruppe. Die rechte Hand kann sich unterstützend auf dem vorderen Teil des Sattels abstützen. Der linke Fuß kann am Anfang im Steigbügel bleiben. Geübte Reiter nehmen ihn allerdings vor dem Absitzen auch aus dem Steigbügel, denn es ist nicht notwendig, sich im linken Steigbügel abzustützen, wodurch das Pferd nur wieder ungleichmäßig belastet wird.

Im allgemeinen steigt man immer von der linken Seite auf. Man sollte aber unbedingt das Pferd und auch sich selbst daran gewöhnen, von beiden Seiten aus auf- und absteigen zu können. Stellen Sie sich nur einmal vor, Sie sind in unwegsamen Gelände unterwegs und können das Pferd nicht so stellen, daß Sie von links aufsteigen können.

Aufsitzen Methode 2

Korrektes Anreiten.

Anreiten

Ziel:
Korrektes Antreten des Pferdes mit nahezu unsichtbaren Hilfen in der von uns gewünschten Gangart.

Hilfen:

Zügelhilfen	Anheben und leichtes Nach-vorne-Gehen der Zügelhand/-hände.
Gewichtshilfen	Verlagerung des Schwerpunktes nach vorne.
Schenkelhilfen	Anlegen beider Schenkel am Gurt.

Ausführung:
Zum Anreiten verlagern wir unseren Schwerpunkt leicht nach vorne, indem wir den Oberkörper wenig nach vorne und dabei etwas Gewicht aus dem Sattel nehmen. Die Zügelhand, beziehungsweise die Zügelhände gehen leicht nach vorne, beide Unterschenkel liegen ganz leicht am Gurt an. Zur Verstärkung kann man als Stimmhilfe noch leicht mit der Zunge schnalzen. Selbst ein unerfahrenes Pferd wird sich normalerweise in Bewegung setzen. Beim fertig ausgebildeten Pferd reicht eine nur für Eingeweihte sichtbare Schwerpunktverlagerung aus, verbunden mit einer angedeuteten Handbewegung. Beim Anreiten in den Schritt brauchen wir die Schenkel nicht oder kaum anzulegen, beim Anreiten in den Trab kommt die Schenkelhilfe etwas deutlicher, wird aber sofort unterlassen, wenn wir merken, daß sich das Pferd in Bewegung setzt. Angaloppiert aus dem Stand wird mit Schenkelhilfen, wie unter „Angaloppieren" (S. 81) beschrieben.

Anhalten

Ziel:
Zuverlässiges sofortiges Anhalten des Pferdes auf Wunsch des Reiters hin, in lockerer gelöster Manier, nachgiebig und mit untergesetzter Hinterhand, um das Gewicht von Pferd wie Reiter abzufangen.

Korrektes Anhalten mit beidhändiger Zügelführung aus dem Trab.

Hilfen:

Zügelhilfen	Anheben und im Bedarfsfall leichtes Zurücknehmen der Zügelhand bei einhändiger Zügelführung, bei beidseitiger Zügelführung leichtes Annehmen des äußeren Zügels, dann Nachgeben und Annehmen des inneren Zügels.
Gewichtshilfen	Schwerpunktverlagerung nach hinten durch leichtes Zurücknehmen des Oberkörpers, im Galopp verbunden mit leichter Gewichtsverlagerung in die Steigbügel.
Schenkelhilfen	vor dem Anhalten minimal treibende Hilfen, damit das Pferd die Hinterhand richtig untersetzt.

Ausführung:

Das korrekte Anhalten setzt großes Können von Pferd und Reiter voraus. Da allerdings selbst für den Reitanfänger nach dem Anreiten sofort das Stehenbleibenkönnen kommt, sei es hiermit gleich zu Anfang behandelt. Der im Westernreiten so beliebte „Sliding Stop" wird später getrennt besprochen.

Hat das Pferd eine gute Ausbildung an der Hand genossen, kennt es zuverlässig das Stimmsignal zum Anhalten. Zur Vorankündigung des Anhaltens heben wir als allererstes leicht die Zügelhände. Dies ist ein Signal für das Pferd, daß gleich ein neuer Wunsch des Reiters eintrifft. Dann verlagern wir unseren Schwerpunkt nach hinten, indem wir den Oberkörper leicht zurücknehmen, bringen etwas mehr Gewicht in die Steigbügel, um den Rücken zu entlasten, der sich durch das verstärkte Untertreten wölben können soll, und äußern unser Stimmsignal. Reagiert das Pferd nicht ausreichend, nehmen wir einen Zügel leicht an, um ihm unseren Wunsch zu verdeutlichen. Das Pferd wird langsamer und bleibt stehen. Sobald man merkt, daß das Pferd Anstalten macht, stehenzubleiben, muß sofort der Zügeldruck nachlassen. Das Pferd muß, um seine Balance beim Anhalten aufrecht erhalten zu können, die Möglichkeit haben, einen Schritt nach vorne zu machen und seinen Kopf und Hals etwas nach vorne strecken können. Am Anfang im Schritt geübt, dann im Trab, weiß das Pferd sehr schnell, was wir von ihm wollen. Um das dem Pferd auf einfachem Wege zu verdeutlichen, können wir es am Anfang auch vor einer Begrenzung, wie der Bande in der Reithalle, anhalten lassen. Dabei sollten wir das Pferd allerdings nicht im Galopp auf die Begrenzung zupreschen lassen, um es dort mit schlechter Körperhaltung irgendwie zum Stehen zu bringen, sondern ihm behutsam klarmachen, was wir von ihm wollen.

Wir intensivieren diese Übung, bis das Pferd auf leichte Signale sofort stoppt. Dann können wir dies auch aus dem Galopp heraus üben. Dazu müssen wir bei der Gewichtsverlagerung nach hinten mehr Gewicht in die Steigbügel bringen und in der Hüfte etwas nach vorne abknicken, um selbst aufrecht im Gleichgewicht sitzen bleiben zu können. Hilfreich ist es, dabei auszuatmen. Das Anhalten aus dem Galopp sollte allerdings tunlichst nur geübt werden, wenn Pferd und Reiter es aus Schritt und Trab perfekt beherrschen, sonst werden durch falsche Ausführung die Vorderbeine des Pferdes überlastet. Durch unsachgemäßes Anhalten können dem Pferd große Schäden, wie zum Beispiel Sehnen-, Bänder- und Muskelzerrungen, Hufgelenkserkrankungen und natürlich die damit einhergehenden Lahmheiten zugefügt werden.

Setzt das Pferd beim Stoppen die Hinterbeine nicht genügend unter, geben wir kurz vor dem Stoppen beidseitige Schenkelhilfen hinter dem Gurt, die das Pferd dazu veranlassen, die Hinterbeine weiter unter den Bauch zu ziehen, um sich mehr zu versammeln. Das Pferd soll mit tief gebogenen Hanken die schiebenden Kräfte auffangen und tragen, um die Vorderbeine vor dieser vermehrten Last zu schützen. Das gut ausgebildete Westernpferd braucht zum Stoppen keinerlei Zügeleinwirkung. Es stoppt durch die Gewichtsverlagerung und die nach vorne durchgetretenen Steigbügel.

Das junge oder ungeübte Pferd muß auf das Anhalten ausreichend vorbereitet werden. Wir heben die Zügelhände zur Vorankündigung und nehmen beide Zügel kurz hintereinander an. Dies soll immer zeitmäßig etwas versetzt ablaufen, damit sich das Pferd nicht im Genick steif macht und sich gegen das Gebiß drückt. Merken wir, daß das Pferd stehen bleiben will, muß der Zug sofort aufhören. Läuft das Pferd dann wieder weiter, werden die Zügel in oben beschriebener Weise wieder angenommen und nachgegeben. Das Nachlassen des Druckes, der durch die Zügel im Maul ausgeübt wird, ist das positive Feedback, das wir unserem Pferd zur Belohnung bereiten müssen. Bleibt der Druck bestehen, hat das Pferd keinen Grund anzuhalten. Die Schwerpunktverlagerung wie auch die Stimmhilfe bleiben zur Unterstützung natürlich bestehen.

Beim einhändigen Reiten wird die Zügelhand angehoben und dann nur leicht zurückgenommen, die Zügel sollen lose bleiben, die anderen Hilfen bleiben wie beschrieben. Das korrekte Anhalten soll mit kaum sichtbaren Hilfen ablaufen. Das Anhalten kommt aus dem richtigen Sitz, den richtigen Hilfen und dem richtigen Atmen und Denken des Reiters.

Richtungswechsel

Ziel:
Das Pferd zuverlässig und leicht nach rechts und links lenken zu können.

Hilfen:

Zügelhilfen	beim einhändigen Reiten wird die Zügelhand angehoben und bei losen Zügeln maximal 10 cm nach rechts oder links bewegt. Bei beidhändiger Zügelführung werden beide Hände angehoben und in gleicher Höhe nach rechts oder links geführt wie beim einhändigen Reiten. Reicht dies nicht aus, wird an dem direkten Zügel leicht gezupft. Will man nach

	rechts, also am rechten Zügel zupfen.
Gewichtshilfen	Minimale Gewichtsverlagerung in die Richtung, in die man reiten möchte, durch stärkere Belastung des jeweiligen Sitzbeines.
Schenkelhilfen	Anlegen des entgegengesetzten Schenkels am Gurt. Will man nach rechts reiten, legt man den linken Schenkel am Gurt leicht an.

Ausführung:
Außer dem „Starten" und dem „Anhalten" eines Pferdes ist es wohl das Wichtigste, es auch lenken zu können. Für richtungsweisende Signale heben wir die Zügelhände etwas an, um das Pferd aufmerksam zu machen. Zupfen wir jetzt am rechten Zügel, wird das Pferd den Kopf leicht nach rechts nehmen und in diese Richtung laufen. Beim jungen oder ungeübten Pferd vollführen wir dies mit tiefen Zügelhänden, dies versteht das Pferd leichter. Zur Verdeutlichung verlagern wir gleichzeitig unseren Schwerpunkt leicht nach rechts, auch dies wird das Pferd dazu veranlassen, in diese Richtung zu laufen, außerdem legen wir links am Gurt leicht den Schenkel an. Dies sind die einfachsten Grundsignale zum Richtungswechsel. Wie das Pferd korrekt in Biegungen und Wendungen geritten wird, behandeln wir später.

Hat das Pferd durch diese Übung den Richtungswechsel prinzipiell verstanden, gehen wir von Anfang an dazu über, das Pferd auf späteres einhändiges Reiten vorzubereiten. Dafür heben wir als Signal beide Zügelhände deutlich an und gehen dann mit beiden Händen nach rechts oder links, als ob man den Pferdekopf und -hals zwischen zwei Stöcken halten würde. Geht bei der entsprechenden Zügelhilfe das Pferd nach rechts, senken wir die Zügelhände, es ist dann dem äußeren Zügel, dem linken ausgewichen (Neck Reining). Dies ist eine Voraussetzung dafür, daß wir das Pferd später auf einhändiges Reiten hin ausbilden können. Reagiert das Pferd nicht auf den äußeren Zügel, nehmen wir den inneren, den direkten Zügel dazu, und zupfen in diesem Beispiel am rechten Zügel leicht nach oben. Das Pferd wird dann wie oben beschrieben nach rechts gehen. So lernt es schnell, schon von Anfang an auf den indirekten, äußeren angelegten Zügel zu reagieren, da ansonsten die direkte Zügelhilfe dazukommt.

Richtungswechsel beim jungen Pferd mit direkter Zügeleinwirkung. Die äußere Hand (links) bleibt tief, und der direkte Zügel, hier der rechte, wird angehoben und das Pferd nach rechts geführt.

Richtungswechsel mit beidhändiger Zügelführung und indirekter Zügeleinwirkung. Beide Hände werden angehoben und leicht nach rechts geführt. Der äußere, hier der linke Zügel, liegt am Pferdehals an.

Korrekturen:
Dies funktioniert aber alles nur, wenn das Pferd dazu bereit ist mitzuarbeiten. Wenn Sie am rechten Zügel zupfen und das Pferd, aus welchem Grund auch immer, keine Lust hat, nach rechts zu gehen, werden Sie es mit dieser Methode nicht davon abhalten können, geradeaus oder sogar nach links zu laufen. Ziehen Sie zu stark am rechten Zügel, wird auch ein williges Pferd sich dazu animiert fühlen, dagegenzuziehen und nach links laufen. Es knickt ganz einfach im Hals ab, fällt über die äußere Schulter aus, streckt den Kopf nach rechts und läuft nach links. Erst durch Annehmen des linken Zügels können Sie seine Linksrichtung eindämmen und es zusammen mit dem direkten, rechten Zügel nach rechts lenken. Mit diesem linken Zügel kontrollieren wir die äußere, in diesem Beispiel die linke Schulter, mit den entsprechenden Schenkelhilfen kontrollieren wir die Hinterhand.

Beim einhändigen Reiten wird die Zügelhand gehoben und leicht nach rechts oder links genommen, ohne die Zügellänge wesentlich zu verkürzen. Ist das Pferd richtig ausgebildet, wird es, mit den entsprechend richtigen Zügel-, Schenkel- und Gewichtshilfen richtig gestellt, nach rechts oder links gehen.

Das Pferd biegt sich hier nach rechts und berührt das Reiterbein. Die Hinterhand bleibt ruhig stehen. Dies setzt ein hohes Maß an Beweglichkeit voraus.

Gymnastik

Eine Gymnastizierung erfolgt durch den Wechsel aus Spannung und Entspannung, zum Beispiel der Wirbelsäule, seitlich wie auch in Längsrichtung. Ein junges oder auch ein ungelenkiges Pferd wird einem seitlichen Zügelzug dadurch nachgeben, daß es in Längsrichtung kaum gebogen die gewünschte Richtungsänderung vollzieht. Es wird dabei mit der Hinterhand ausbrechen. Wollen wir eine Wendung nach rechts reiten, wird das Pferd den Kopf nach rechts nehmen und, statt gebogen um die Kurve zu marschieren, mit der Hinterhand nach links ausfallen. Wir können das Pferd gymnastizieren, indem wir im Stand zum Beispiel den linken Zügel in Richtung unserer linken Hüfte nehmen beziehungsweise zupfen, um das Pferd dazu zu veranlassen, seinen Kopf und seinen Hals nach links zu nehmen. Einem gelenkigen Pferd macht es keine Schwierigkeiten, mit seiner Nase das Reiterbein zu berühren, ohne daß großer Zügelzug aufgewandt werden muß. Ein ungelenkiges Pferd wird bei dieser Übung nicht auf der Stelle stehen bleiben, sondern mit der Hinterhand herumschwenken. Wir lassen uns dadurch nicht irritieren, denn wenn wir diese Übung in jeder Reitstunde wiederholen, wird es nicht lange dauern, bis das Pferd stehen bleibt und sich genügend biegen kann. Denken Sie an eigene gymnastische Übungen, wie lange es dauern kann, bis man selbst beweglicher wird. Diese Übung wird natürlich in beide Richtungen hin und ausschließlich mit dem Snaffle Bit ausgeübt. Solch starke Einwärtsbiegungen trainieren wir allerdings nur im Stehen und nicht in der Bewegung des Pferdes. Würden wir solche Übungen in Wendungen oder auf dem Zirkel ausüben, hätten wir schnell ein Pferd, das der entsprechenden Zügelhilfe zwar mit Hals und dem Kopf folgt, aber mit der Schulter in die entgegengesetzte Richtung läuft. Um im Gleichgewicht gehen zu können, muß das Pferd aber Kopf, Hals und Schultern als eine Einheit bewegen, gerade in Wendungen und auf dem Zirkel. Diese Biegung ist eine sehr gute gymnastische Übung, mit der man im übrigen sehr schnell feststellen kann, wie gut es mit der Folgsamkeit und der Elastizität eines fremden Pferdes bestellt ist. Weitere Übungen zur Gymnastizierung in der Bewegung folgen in der Beschreibung der Zirkel und Volten, Seitengänge und Wendungen.

Korrektes Rückwärtstreten mit beidhändiger Zügelführung.

Rückwärtsrichten - Back up

Ziel:

Das Pferd soll locker am Zügel gehend, willig und gut mit der Hinterhand untertretend rückwärts zu richten sein.

Hilfen:

Zügelhilfen	Beim einhändigen Reiten Anheben der Zügelhand und möglichst kurzes, maximal 10 cm weites Zurückgehen mit der Zügelhand. Beim beidhändigen Reiten Anheben der Zügelhände und ebensolches Zurückgehen. Reagiert das Pferd ungenügend, leichtes wechselseitiges Annehmen und Nachgeben des inneren und äußeren Zügels. Kein Reißen an den Zügeln.
Gewichtshilfen	Verlagerung des Schwerpunktes leicht nach hinten, beim jungen Pferd Verlagern des Gewichtes in die Steigbügel, um den Rücken frei zu machen.
Schenkelhilfen	Leichtes Anlegen beider Schenkel am Gurt.

Ausführung:

Korrektes Rückwärtstreten verlangt eine ganze Menge vom Pferd und setzt eine ausreichende Gymnastizierung voraus. Die Gelenke der Hinterhand sollen ausreichend gewinkelt die Kruppe absinken lassen, und das Pferd soll mit schwingenden, nicht schlurfenden Schritten rückwärts treten. Im Genick soll das Pferd elastisch nachgeben, willig das Gebiß annehmen und nicht mit hochgenommenem Kopf und weggedrücktem Rücken nach hinten stürmen. Wir wollen ein Pferd, das auf leichtes Annehmen der Zügel hin in Zusammenwirkung mit leichten Gewichts- und Schenkelhilfen zügig und willig rückwärts geht. Während der Grunderziehung des Pferdes haben wir ihm beigebracht, auf optische Signale und Lautäußerungen hin rückwärts zu gehen. Dies kommt uns zugute, wenn wir es jetzt auch vom Sattel aus tun wollen. Das Rückwärtsrichten sollte erst geübt werden, wenn wir das Pferd zuverlässig anhalten können. Aus dem Schritt und besonders aus dem Trab halten wir immer wieder an, um es unverzüglich einige Schritte rückwärts treten zu lassen. Das Ganze sollte ein flüssiger Bewegungsablauf sein. Anfangs machen wir eine kurze Pause nach dem Anhalten, damit sich das Pferd auf das konzentrieren kann, was wir von ihm wollen. Wir heben als Signal die Zügelhände leicht an, lassen die Zügel etwas anstehen und bauen dadurch einen leichten Druck im Maul auf, dann verlagern wir unseren Schwerpunkt leicht nach hinten, indem wir den Oberkörper etwas zurücknehmen, verlagern ein wenig Gewicht in die Steigbügel, um den Rücken des Pferdes zu entlasten und geben das entsprechende Stimmkommando. Das Pferd wird den Kopf etwas heben und seinen Schwerpunkt ebenfalls nach hinten verlagern. Setzt es sich nicht in Bewegung, setzt die Schenkelhilfe am Gurt ein, leicht bis etwas klopfend, je nachdem, wie bereitwillig sich ein Pferd verhält. Versteht das Pferd dies nicht, können wir ihm das Verständnis noch weiter erleichtern. Das Pferd tritt zuerst mit dem weiter nach vorn stehenden Hinterbein zurück. Um dieses Bein zu aktivieren, setzt die Schenkelhilfe an dieser Seite ein. Wird der diagonale Zügel dazu leicht verkürzt, wirkt dies unterstützend. Also rechter Schenkel, linke Zügelhilfe. Ist das Pferd mit diesem Bein zurückgetreten, aktivieren wir mit dem linken Schenkel und dem rechten Zügel das andere Bein. Wir geben damit treibende Hilfen, lassen dem Pferd aber nur den Weg nach hinten offen, da wir es vorne mit den Zügeln und an den Seiten mit den Schenkeln begrenzen. Man muß unbedingt darauf achten, die Zügel sofort locker zu lassen, wenn das Pferd einen Schritt zurückmacht. Es gibt dem Zügeldruck im Maul nach, und wir belohnen es dadurch, daß wir den Druck weglassen. Beim jungen Pferd reichen ein oder zwei Schritte aus, um festzustellen, daß es gehorsam und willig ist. Langsam erhöhen wir die Zahl der Schritte, und wenn dies aus dem Schritt heraus gut funktioniert, üben wir das gleiche aus dem Trab und später aus dem Galopp. Das ausgebildete Pferd geht ohne zu zögern auf Aufforderung hin vom Anhalten ins Rückwärtsrichten über. Dazu ist nach einiger Zeit keinerlei Zügeleinwirkung mehr nötig. Das Pferd reagiert auf die Gewichtsverlagerung und die Stimme. Ist das junge oder unerfahrene Pferd auf Snaffle Bit gezäumt, können wir den leichten Zügeldruck auch mit beiden Händen vorsichtig aufbauen. Ist das Pferd auf Shank Snaffle gezäumt, darf man nur wechselnd beide Zügel annehmen, am besten wie oben beschrieben mit der entsprechenden Schenkelhilfe, um die Nußknackerwirkung des Gebisses nicht auszulösen. Dies würde nur dazu führen, daß das Pferd aus Schmerz den Kopf hochreißt und sich verspannt, ohne einen Schritt rückwärts zu machen. Beim einhändigen Reiten geht die erst angehobene Hand leicht zurück. Junge Pferde gehen beim Rückwärtsrichten selten gerade zurück. Dem sollte man am Anfang keine große Bedeutung beimessen. Hat das Pferd den Sinn des Rückwärtsrichtens verstanden und ist in der Zwischenzeit auch sensibler für unsere seitlichen Schenkelhilfen geworden, können wir es mit angelegtem Schenkel hinter dem Gurt seitlich korrigieren. Bricht das Pferd nach rechts aus, legen wir den rechten Schenkel hinter dem Gurt an und begrenzen somit das Pferd. Um ihm das Geradeausgehen zu erleichtern, kann man auch als optische Begrenzung zwei Stangen im Abstand von ca. 1,20 m bis 1,30 m hinlegen und das Pferd zwischen den Stangen rückwärts treten lassen.

Bricht das Pferd immer nach der gleichen Seite hin aus, liegt dies entweder an einem asymmetrischen Sitz des Reiters oder an einem schlecht beweglichen Pferd. Der Reiter muß dafür sorgen, daß sein Sitz völlig ausbalanciert und damit symmetrisch ist. Das ungelenkige Pferd muß insgesamt mehr gymnastiziert werden, es muß mit viel Biegearbeit gelenkig und durchlässig gemacht werden. Reicht beim Rückwärtsrichten der begrenzende Schenkel wie oben beschrieben nicht aus, kann man noch den Zügel dazu zu Hilfe nehmen. Bricht das Pferd zum Beispiel ständig nach links aus, begrenzt man es mit dem linken Schenkel, treibt auch nur mit diesem Schenkel und kann zur Verstärkung am linken Zügel nach oben und einwärts zupfen. Dies bringt die Hinterhand nach rechts.

Rückwärtstreten im Stangen-L. Der Reiter orientiert sich an nur einer Stange und richtet sein Pferd gerade zurück.

Im Winkel wird die Hinterhand des Pferdes mit den Schenkeln, die Vorhand mit den Zügeln kontrolliert.

Nach dem rechten Winkel wird das Pferd wieder gerade rückwärts gerichtet.

Das Rückwärtsrichten wird zuerst aus dem Schritt und dann aus dem Trab heraus nach vorherigem Anhalten geübt. Erst später, wenn Pferd und Reiter korrekt aus dem Galopp stoppen können, kann man das Rückwärtsrichten auch aus dem Galopp heraus ausüben. Zuerst immer mit deutlichen Haltepausen zwischen Anhalten und rückwärts, später auch mit flüssigen Übergängen. Anhalten und rückwärtsgehen soll das Pferd immer gerade, also sollte man das Pferd für solche Manöver nicht auf Biegungen, Zirkel, Volten oder Schlangenlinien reiten, sondern zuerst ein paar Meter geradeaus. Am Anfang ist es leichter, ein Pferd parallel einer Begrenzung gerade rückwärtszurichten, aber mit weiterem Training sollte dies in der Mitte des Platzes, beziehungsweise ein paar Meter neben einer Begrenzung genauso gut gehen. Eine gute Übung ist auch das Rückwärtsrichten im Stangen-L. Man hält sich möglichst in der Mitte der Stangen, um zu beiden Seiten noch Platz zu haben. Das Pferd sollte gerade zwischen den Stangen stehen, damit man es auch gerade rückwärtsrichten kann. Der Oberkörper des Reiters sollte sich nicht ständig verdrehen, um nach rechts und links zu schauen, sondern gerade gehalten bleiben. Ohne den Oberkörper zu verdrehen, orientiert man sich an nur einer Stange, damit fällt es wesentlich leichter, das Pferd gerade rückwärtszurichten. Schritt für Schritt tritt man jetzt in aller Ruhe zurück. Im Winkel des Stangen-L´s bleibt man ruhig stehen, um sich zuerst einmal darüber klar zu werden, welche Beine des Pferdes in welche Richtung treten sollen. Dann veranlaßt man die Wendung, indem man die Hinterhand mit den Schenkeln und die Vorhand mit den Zügeln steuert. Soll die Kruppe des Pferdes nach rechts schwenken, wird man mit dem linken Schenkel leichte Hilfen am Gurt geben, und soll die Vorhand dabei noch nach links kommen, wird man das Pferd mit den Zügeln leicht nach links lenken.

Eine weitere Übung besteht darin, das Pferd eine bestimmte Anzahl Schritte rückwärtszurichten. Man darf sich dabei natürlich nicht selbst betrügen. Man kann auch wie in der Show eine bestimmte Strecke abstecken, die man rückwärts gehen möchte. Das Pferd soll zügig rückwärts gehen, bis es ein Zeichen von uns bekommt, stehenzubleiben. Dazu ist es am Anfang sinnvoll, das Pferd wie gewohnt mit „Who“ anhalten zu lassen. Später reicht eine leichte Gewichtsverlagerung nach hinten aus, um das Pferd zum Stehen zu bringen. Steigern kann man die Schwierigkeit noch, indem man in unterschiedlichen Geschwindigkeiten rückwärtsrichtet. Die Intensität des Schenkeldruckes soll die Geschwindigkeit bestimmen. Man kann ruhig und zügig abwechseln. Natürlich sollte man solche Übungen nicht allzu häufig hintereinander machen, da dies eine sehr anstrengende Übung für das Pferd ist.

Lösen des Pferdes

Am Beginn einer jeden Trainingsstunde sollte man dafür sorgen, daß sich die Muskulatur des Pferdes richtig lösen kann. Wie auch beim sportlichen Training des Menschen muß die Muskulatur des Pferdes langsam aufgewärmt werden. Beim richtig durchgeführten Lösen des Pferdes sorgt der aktivierte Kreislauf für eine verstärkte Durchblutung. Auch die Muskulatur wird dadurch stärker durchblutet, und wir sorgen mit entsprechenden Dehnungsübungen dafür, daß sie gymnastiziert wird.

Eine gute Möglichkeit, ein Pferd am Anfang einer Trainingsstunde zu lösen, besteht darin, große Volten beziehungsweise Zirkel im Durchmesser von ca. 8 bis 10 m zu reiten. Am Anfang wird nur im Schritt geritten, wobei ungeübte Reiter hierbei schon die ihnen ungewohnte Hilfengebung üben können. Selbst temperamentvolle Pferde, die gerne von Anfang an vorwärts stürmen, hat man damit größtenteils schon unter Kontrolle gebracht. Nach ein paar Minuten können auch engere Biegungen geritten werden. Danach geht man dazu über, das ganze im Trab auszuführen. Natürlich sollte man immer wieder einen Richtungswechsel einbauen und auf der steiferen Seite des Pferdes mehr Biegungen vollführen, um diese „schlechte“ Seite auch mehr zu gymnastizieren. In der lösenden Arbeit ist der Zirkel unverzichtbar, gleichzeitig ist er die Grundlage vieler Übungslektionen.

An den Zügel reiten - Versammlung

Ziel:
Das Pferd soll mit seiner Hinterhand vermehrt untertreten und sein und das Gewicht des Reiters vermehrt mit der Hinterhand tragen. Der Hals des Pferdes wölbt sich, und der Kopf wird kurz vor der Senkrechten getragen. Dadurch wird die Rückenmuskulatur des Pferdes gestärkt, um das zusätzliche Reitergewicht ohne Schaden tragen zu können.

Hilfen:

Zügelhilfen	Beim einhändigen Reiten wird die Zügelhand im Takt der Gangart nach oben und unten bewegt, die durchhängenden Zügel wippen etwas. Bei beidhändiger Zügelführung wird bei tiefen Händen mit „Pull und Slack" geritten, das heißt, mit einem abwechselnden Annehmen und Nachgeben des rechten und linken Zügels.
Gewichtshilfen	Passiv, oder wenn es notwendig ist, das Pferd zum verstärkten Untertreten zu animieren, Verlagern des Schwerpunktes leicht nach hinten.
Schenkelhilfen	Will man das Pferd zum Untertreten animieren, treiben beide Schenkel am Gurt, beim Galoppieren der äußere zurückliegende Schenkel.

Ausführung:
Die Gymnastizierung eines Pferdes erfolgt nicht aus irgendeinem Selbstzweck heraus, sondern aus dem Grunde, daß das Pferd das Reitergewicht tragen kann, ohne Schaden zu nehmen. Das Pferd trägt von Natur aus mehr Gewicht mit den Vorderbeinen. Kommt vermehrt Gewicht dazu, wie in der Natur bei der Trächtigkeit der Stute, wird dieses vermehrt mit der Hinterhand getragen. Dies versucht ein Reiter nachzuahmen. Kommt das Reitergewicht aufs Pferd, versucht das junge oder auch nicht ausreichend ausgebildete Pferd dieses Gewicht mit der Vorhand zu tragen. Dies führt mit der Zeit unweigerlich zu Bein- und Rückenschäden beim Pferd. Der Reiter selbst muß das Pferd mittels verschiedener Übungen dazu bringen, das Gewicht vermehrt auf der Hinterhand zu tragen. Dabei treten die Hinterbeine des Pferdes vermehrt unter seinen Schwerpunkt, also unter seinen Mittelpunkt. Durch das vermehrte Untertreten der Hinterbeine senkt sich die Kruppe des Pferdes deutlich ab. Die Hüft-, Knie- und Sprunggelenke werden verstärkt gebeugt. Dieses bezeichnet man als Hankenbeugung. Die Hinterbeine des Pferdes sind wesentlich kräftiger als seine Vorderbeine und tragen somit zur Entlastung der Vorhand bei. Die Hinterhand ist der Motor des Pferdes. Geht das Pferd auf der Vorhand, verlagert es seinen Schwerpunkt zu weit nach vorne, es läuft falsch ausbalanciert und ist nicht in der Lage, die Kommandos des Reiters zügig und richtig auszuführen.

Durch die richtige Versammlung des Pferdes wird ein elastisch federnder Rücken des Pferdes erreicht. Dies führt zu einer natürlichen Aufrichtung und Biegung des Halses. Das Pferd ist an den Zügel geritten, wenn es das Gebiß annimmt, indem es im Genick weich nachgibt und das Kinn einzieht. Dafür ist ein stetiger Gymnastizierungsprozeß der Nacken- und Halsmuskeln notwendig. Wie die optimale Kopfposition auszusehen hat, hängt von den anatomischen Voraussetzungen jedes einzelnen Pferdes ab, hat aber eine Tendenz zur senkrechten Nasenlinie hin. Um diese Genickflexibilität zu fördern, gibt man wechselseitig leichte Zügelimpulse (Pull und Slack), kein Am-Zügel-Zerren, sondern ein Damit-Spielen. Nimmt das Pferd das Gebiß an, nimmt es den Kopf tiefer und wölbt den Nacken nach oben. Der Reiter muß dies fast schon vorwegahnen und rechtzeitig die Zügel nachgeben, als Belohnung. Nimmt das Pferd den Kopf wieder

Richtig versammeltes Pferd mit beidhändiger Zügelführung.

höher, beginnt das Spiel von neuem. Wenn wir das Pferd immer dadurch belohnen, daß wir es in Ruhe lassen, wenn es Kopf und Hals in der richtigen Position hat, bringen wir es dazu, trotz losen Zügeln in der gewünschten Beizäumhaltung zu gehen. Diese positiven Bestätigungen ziehen sich durch das gesamte Training des Pferdes.

Die gewünschte Beizäumhaltung ist allerdings nur in Verbindung mit einer aktiven Hinterhandtätigkeit sinnvoll. Unser Ziel ist es, auf jedes feinste Zügelsignal diese weiche Nachgiebigkeit im Genick des Pferdes zu spüren, verbunden mit der gewünschten Durchlässigkeit der Schenkel- und Gewichtshilfen. Wer mit einem gut ausgebildeten und dementsprechend gymnastizierten Pferd reitet, wird feststellen, daß ein leichtes Vibrieren der Zügel genügt, um das Pferd zum weichen Nachgeben im Genick aufzufordern. Ohne Schwierigkeiten behält das Pferd diese Haltung bei, auch bei Richtungsänderungen oder beim Anhalten, egal aus welcher Gangart. Durch geringste Hilfen treten die Pferdebeine weit unter den Pferdekörper, man sitzt auf einem weich federnden Pferderücken.

Zirkel und Biegungen

Ziel:

Das Pferd soll in seiner Längsachse so gebogen sein, wie es der gerittenen Linie entspricht.

Hilfen:

Zügelhilfen	Beim einhändigen Reiten wird die Zügelhand angehoben und als Richtungsänderung leicht nach rechts oder links genommen. Um das Pferd richtig zu stellen, kann man leicht mit der Zügelhand wippen, weitere Korrekturen sind beim einhändigen Reiten zumindest mit den Zügeln nicht möglich. Bei beidhändiger Zügelführung hat man die Möglichkeit, den inneren Zügel anzuheben, am Hals anzulegen und nach oben zu zupfen, den äußeren Zügel nach unten und in Richtung des Oberschenkels zu zupfen.

Gewichtshilfen	Bei großem Zirkeldurchmesser nahezu passiv, bei engem Durchmesser wird der Schwerpunkt leicht in die Bewegungsrichtung verlegt. Beim Zirkel im Uhrzeigersinn, also nach rechts.
Schenkelhilfen	Der äußere Schenkel gibt am Gurt die Richtung des Zirkels an, im Uhrzeigersinn also der linke. Läuft das Pferd in der richtigen Richtung, wird der innere Schenkel, hier der rechte, angelegt, um das Pferd dazu zu veranlassen, sich um den inneren Schenkel zu biegen.

Ausführung:
Ohne daß sich ein Pferd biegt und beugt, ist es nicht möglich, daß es exakte Zirkel läuft. Die Zirkel und Wendungen geben genau Auskunft darüber, wie gymnastiziert ein Pferd ist. Ein nicht gymnastiziertes Pferd hat bei Wendungen und Zirkellinien Schwierigkeiten mit seinem Gleichgewicht. Auf der Zirkellinie gebogen zu laufen, ist für ein unausgebildetes Pferd einfach unbequem. Es versucht mit dem äußeren Hinterfuß, also beim Linksherum-Reiten, mit dem rechten Hinterbein nach außen zu drängen, und / oder aber mit der Vorhand in den Zirkel hineinzulaufen, um sich nicht biegen zu müssen.

Auf Zirkeln ist zu beachten, daß das Pferd mit den Hinterhufen in der Spur der Vorderhufe laufen soll. Das Pferd soll sich in seiner Längsachse so biegen, daß es die Linie des Zirkels widerspiegelt. Jungen oder auch ungelenkigen Pferden fällt dies nicht leicht, da ihre Muskeln nicht geschmeidig genug dazu sind. Die korrekte Biegung des Pferdes ist notwendig für sein Gleichgewicht unter dem Reiter und damit auch für den entsprechenden Gehorsam auf die Hilfen des Reiters. Das Pferd kann den entsprechenden Hilfen nicht korrekt nachkommen, wenn es sich nicht im eigenen Gleichgewicht befindet. Auf einer gebogenen

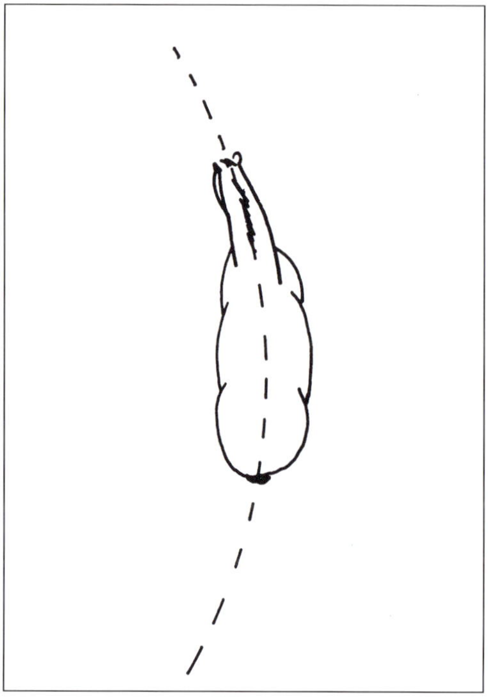

Skizze eines korrekt gestellten Pferdes auf Zirkellinie.

Richtige Handhaltung bei beidhändiger Zügelführung, um das Pferd richtig gestellt auf dem Zirkel zu reiten. Die innere Hand (rechts) wird hoch gehalten, die äußere tief, der innere Zügel liegt am Pferdehals an.

Durchreiten einer Ecke mit einem richtig gestellten Pferd.

Linie nimmt das Pferd mit seinem inneren Hinterbein vermehrt Last auf. Man trainiert damit also auch die Hinterhand.

Ein Zirkel ist ein großer runder Kreis. Auf dem Zirkel läßt sich vieles trainieren. Man kann ihn in jeder Gangart reiten oder auch mit wechselnden Gangarten. Man kann den Zirkel mit Volten kombinieren oder auch mit Wendungen. Selbstverständlich kann man ihn auch vergrößern und verkleinern. Für Pferde, die im Galopp leicht anfangen zu stürmen, ist Zirkelarbeit im Galopp die beste Lösung. Hier kann das Pferd leicht längere Zeit unter guter Kontrolle galoppiert werden. Man sollte dabei darauf achten, daß man, nachdem das Pferd einigermaßen kontrolliert läuft, die Zügel recht locker läßt. Nach kurzer Zeit wird auch das stürmischste Pferd anfangen, am langen Zügel ruhig auf dem Zirkel zu galoppieren. Sobald das Pferd ruhige Galoppzirkel läuft, kann man anfangen, es richtig gebogen auf die Zirkellinie zu stellen, um seine Selbsthaltung zu verbessern. Bald wird es daraufhin auch in Galoppvolten richtig gestellt geritten werden können.

Man beginnt am besten im Schritt große Zirkel zu reiten. Reiten wir rechts herum,

Eine weitere Gymnastizierungsarbeit besteht darin, Schlangenlinien zu reiten und das Pferd in den Scheitelpunkten immer exakt in die gewünschte Bewegungsrichtung zu stellen.

geben wir eine leichte rechte Zügelhilfe, verlagern das Gewicht leicht nach rechts, legen den linken Schenkel leicht an, und das Pferd wird nach rechts gehen. Daraufhin unterlassen wir derartige Hilfen. Sollte es geradeaus gehen, lenken wir es wieder nach rechts. Lassen wir die rechts gerichteten Hilfen bestehen, sollte sich der Zirkel immer weiter zuziehen. Lassen wir

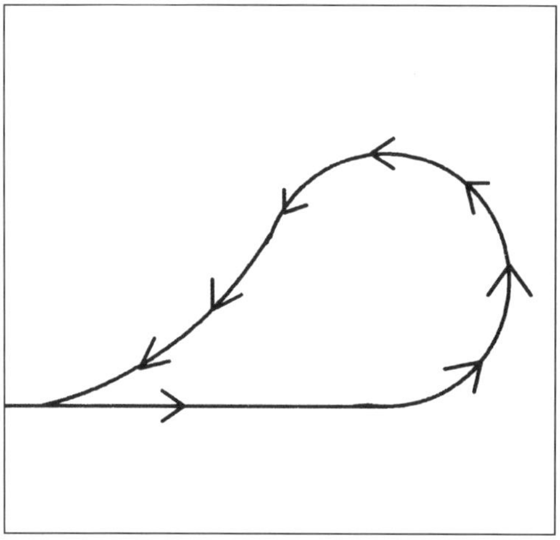

Skizze einer Kehrtvolte, auch eine gute Übung zur Gymnastizierung des Pferdes.

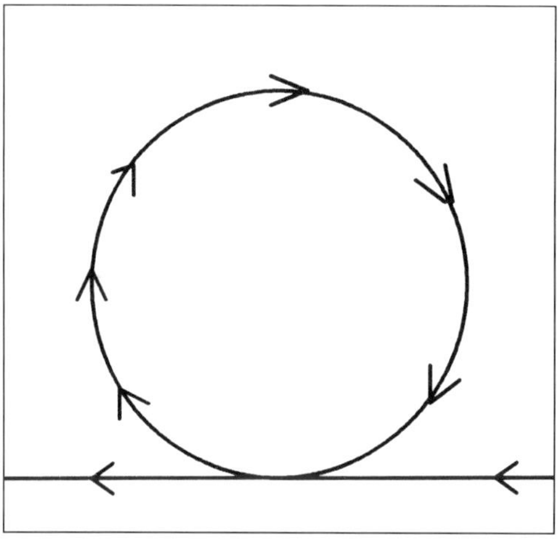

Skizze einer Volte.

Volten lassen sich gut zu einem gerittenen Kleeblatt kombinieren.

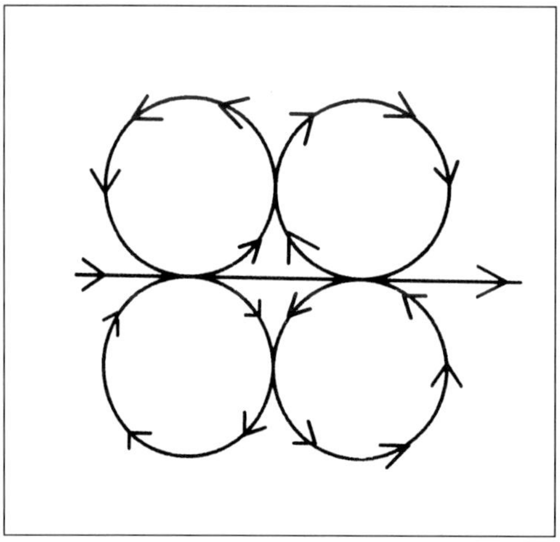

die Hilfen weg, sollte es auf dem eingeschlagenen Kurs bleiben. Das ausgebildete Pferd soll durch die unter „Richtungswechsel" (S.67) beschriebenen leichten Zügelhilfen korrekt gestellt auf der Zirkellinie laufen. Das müssen wir einem jungen Pferd allerdings erst einmal verständlich machen, natürlich auch einem älteren ungymnastizierten Pferd. Dafür gibt es bestimmte Zügelhilfen, die es dem Pferd erleichtern zu verstehen, was wir von ihm wollen. Diese „Korrekturhilfen" werden immer dann für befristete Zeit eingesetzt, wenn das Pferd nicht so korrekt läuft, wie wir uns das vorstellen.

Wollen wir das Pferd korrekt stellen, heben wir beim Zirkel nach links den linken Zügel leicht an und geben leichte Zügelimpulse nach oben, der Zügel soll am Hals anliegen. Die rechte Hand bleibt tief und zupft gegebenenfalls Richtung Oberschenkel. Das ungymnastizierte Pferd wird durch den angelegten inneren (linken) Zügel dazu animiert, den Hals rund zu machen, also eine Linksbiegung des Halses auszuführen. Den inneren, also den linken Schenkel legen wir leicht an, beziehungsweise geben leichte Impulse, um das Pferd dazu zu animieren, sich „um den linken Schenkel zu biegen". Schwenkt es dabei mit der Hinterhand nach rechts, legen wir den rechten Schenkel am Gurt an, um die Hinterhand wieder auf Zirkellinie zu stellen. Auf großen Zirkeln wird es keine großen Probleme geben, das Pferd in dieser Art richtig gestellt durch die Biegungen zu reiten. Schwieriger wird es, wenn die Zirkel kleiner werden. Dann soll sich das Pferd stärker biegen, als es ihm unter Umständen lieb ist. Für ein steifes Pferd gibt es zwei Möglichkeiten, sich dieser gewünschten Biegung zu entziehen.

Korrekturen:

Das Pferd weicht mit der Vorhand zu weit in die Mitte des Zirkels hinein, analog dazu bringt es die Hinterhand nach außen, um trotzdem im Gleichgewicht zu bleiben. Kommt das Pferd zu weit mit der Vorhand in den Zirkel herein, angenommen bei einem Linkszirkel also zu weit nach links, geben wir mit dem innen am Hals angelegten Zügel (linker Zügel) kurze Impulse nach oben / rechts und führen es, reicht dies nicht aus, mit dem äußeren Zügel (rechter Zügel) etwas nach außen, der äußere Schenkel (rechter Schenkel) treibt die Hinterhand in Richtung Zirkelmitte.

Weicht es mit der Vorderhand zu weit nach außen (rechts), wobei der Kopf und der Hals nach innen (links) gerichtet sind, läuft es „über die äußere Schulter", die Hinterhand gerät dabei zu weit in Richtung Mitte des Zirkels. Wir korrigieren es mit dem äußeren Zügel (rechts), er wird leicht angenommen und begrenzt das Pferd, der innere Schenkel (links) bringt durch Impulse am Gurt die Hinterhand auf den Zirkel zurück. Diese diagonale Kontrolle erfolgt im Zusammenspiel von rechtem Zügel / linkem Schenkel, beziehungsweise umgekehrt, um gleichermaßen Vor- wie Hinterhand des Pferdes kontrollieren zu können.

In normalen Biegungen läßt sich dieses Zusammenspiel sehr gut üben. Auf einem Reitplatz können Sie beim Durchreiten der Ecken das Pferd mit dem inneren Zügel nach außen „drücken", obwohl es nach innen gestellt ist. Geht es mit der Hinterhand zu weit nach außen, holen Sie die Hinterhand mit dem äußeren Schenkel wieder herein. Geht es mit der Hinterhand zu weit in die Bahnmitte, treiben Sie diese mit dem inneren Schenkel wieder hinaus. Reiten Sie im Uhrzeigersinn auf dem Platz, befindet sich Ihre rechte Seite innen. In einer Kurve zupfen Sie mit hoher Hand am rechten Zügel und achten darauf, daß der Zügel am Pferdehals anliegt. Das Pferd weicht nach links aus. Geht es mit der Hinterhand zu weit nach links, holen Sie die Hinterhand mit dem linken Schenkel wieder herein. Geht es mit der Hinterhand zu weit nach rechts, treiben Sie die Hinterhand mit dem rechten Schenkel weiter nach außen. So wird das Pferd immer durchlässiger für unsere Zügel- wie auch Schenkelhilfen.

So lassen sich auch korrekte Richtungswechsel und Schlangenlinien reiten. Man sollte allerdings immer darauf achten, daß bei einer Umstellung des Pferdes, zum Beispiel von

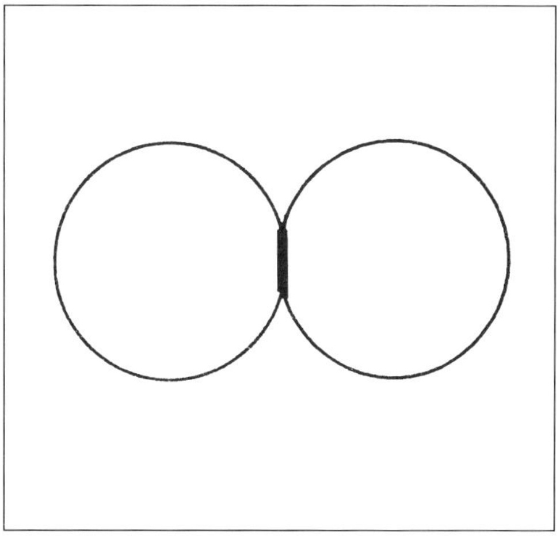

Die korrekte Form, wie eine gerittene Acht aussehen soll.

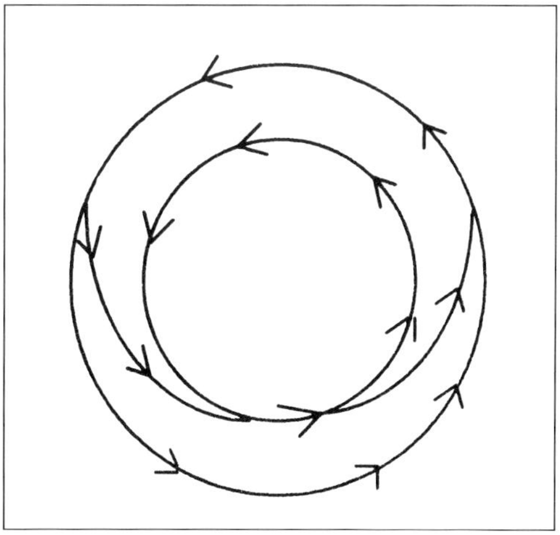

Skizze, wie ein Zirkel verkleinert oder vergrößert wird.

Skizze einer möglichen Kombination von Volten und Schlangenlinien.

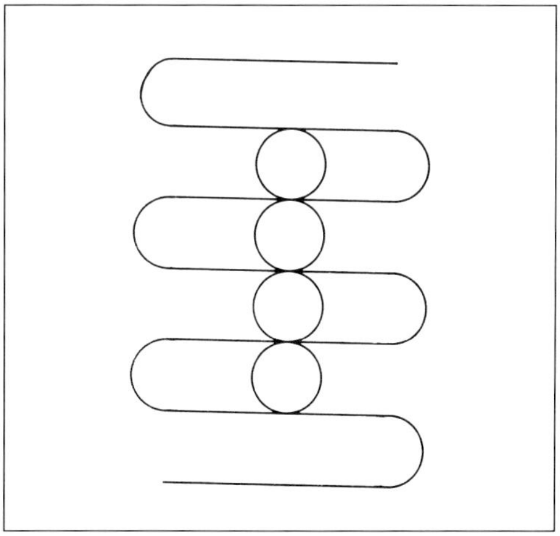

rechts nach links, das Pferd erst geradegerichtet wird. Vor allen Dingen beim jungen Pferd oder beim noch unzureichend gymnastizierten Pferd ist dieses wichtig. Beim fertig ausgebildeten Pferd reicht es aus, es ein bis zwei Schritte geradegerichtet laufen zu lassen, beim jungen sollte es schon eine ganze Pferdelänge sein. Am einfachsten für Pferd und Reiter ist es, mit einem Slalom um aufgestellte Pylonen oder Tonnen herum anzufangen. Man kann natürlich auch Schlangenlinien durch die ganze Bahn und Kehrtvolten reiten.

Eine sehr gute Möglichkeit, die Biegearbeit noch zu intensivieren, besteht darin, Volten zu reiten. Eine Volte ist ein kleiner Zirkel und soll auch genauso geritten werden. Das heißt, sie soll wie der Zirkel auf einer Spur geritten werden. Die Hinterhand soll genau der Vorhand folgen. Je nach Ausbildungsstand des Pferdes kann der Durchmesser einer Volte zehn, acht oder auch nur sechs Meter betragen. Je kleiner die Volte geritten wird, desto mehr muß sich das Pferd biegen, wenn es korrekt gestellt auf ihr geritten wird. Das bedeutet, je kleiner die Volte, desto schwieriger wird es für das Pferd. Infolgedessen verkleinern wir bei der Zirkelarbeit erst allmählich den Durchmesser des Kreises, bis wir beim trainierten Pferd beim Durchmesser von nur sechs Metern angekommen sind.

Die Volte ist nicht nur für das junge Pferd anstrengend, sondern auch für den ungeübten Reiter. Sie erfordert ein exaktes Zusammenspiel der gesamten Hilfen und darüber hinaus auch noch ein durchlässiges Pferd. In kaum einer Übung merkt der Reiter so schnell, ob seine Hilfen beim Pferd richtig ankommen oder nicht. Die Hilfen sind exakt die gleichen wie beim Zirkelreiten und dabei An-den-Zügel-Reiten. Aber diese Kombination verbunden mit dem kleinen Durchmesser der Volte und den damit verbundenen schnell notwendigen Korrekturen des Pferdes machen sie zu einer interessanten Übung. Man kann Volten an allen Punkten der Reitbahn reiten, selbst im Gelände, sofern es der Platz zuläßt. Leichter ist es natürlich, an der Bande zu beginnen. Dann verlegt man das Reiten der Volte in die Mitte der Bahn. Dies ist für Pferd wie Reiter ein ganzes Stück schwieriger, da die optische Begrenzung der Bahnumgrenzung fehlt. Um die Volten kreisrund zu gestalten, ist es wichtig, geradeaus zu schauen, durch die Pferdeohren hindurch, und dabei sollte man die gedachte zu reitende Linie nicht aus den Augen verlieren. Hat man die Volte nicht im Kopf, wird sie niemals so rund werden, wie wir sie haben wollen.

Zum Gymnastizieren haben wir nun eine Menge Möglichkeiten. Wir können Achten reiten, Volten, Schlangenlinien und natürlich alles miteinander kombinieren. Trotz der guten Gymnastizierungsmöglichkeit sollte man das Voltenreiten natürlich auch nicht übertreiben. Anfänglich reicht eine korrekt gerittene Volte aus, dann kann man langsam die Anzahl steigern. Vor allen Dingen darf das Pferd nicht so überanstrengt werden, daß es die Freude an der Mitarbeit verliert. Hier muß man dosiert und mit Gefühl vorgehen.

Eine einfache, aber gute Möglichkeit, das Pferd zu gymnastizieren und gleichzeitig dem Reiter die Möglichkeit zu geben, seine Schenkelhilfen zu kontrollieren, besteht darin, einen Zirkel zu verkleinern oder zu vergrößern. Wir reiten entgegen dem Uhrzeigersinn, also links herum auf einem großen Zirkel. Das Pferd ist dabei leicht nach links gestellt. Nach ein paar Runden wird der Zirkel schneckenartig verkleinert. Dazu reicht es aus, wenn wir dem Pferd eine nur angedeutete Schenkelhilfe mit dem rechten Schenkel knapp hinter dem Gurt geben, eventuell verbunden mit einer leichten Gewichtsverlagerung auf den rechten Gesäßknochen, ohne in der Hüfte abzuknicken. Probieren Sie es einmal aus nur mit der Gewichtshilfe, auch dieses ist schnell möglich. Der Zirkel wird verkleinert bis auf einen Voltendurchmesser, oder größer, je nach Ausbildungsstand von Pferd und Reiter. Dann kann man den Zirkel wieder vergrößern, das Pferd bleibt weiterhin linksgerichtet auf der Zirkellinie, wir geben leichten Schenkeldruck knapp hinter dem Gurt mit dem linken Schenkel, verlagern unser Gewicht leicht nach links und lassen das Pferd den Zirkel wieder vergrößern. Am besten, man versucht die Übung erst einmal im Schritt, dann im Trab, und wird dieses richtig absolviert, kann sie auch im Galopp geritten werden. Das Pferd soll dabei wie bei den Seitengängen mit den Beinen kreuzen und nicht nur wie beim Richtungswechsel nach innen oder nach außen laufen. Aus diesem Grunde auch die Gewichtsverlagerung nach links, wenn wir den Zirkel nach rechts vergrößern wollen, und den Schenkel hinter dem Gurt angelegt, als Zeichen zum Seitwärtstreten.

Angaloppieren

Ziel:
Sofortiges zuverlässiges Angaloppieren aus jeder Gangart oder aus dem Stand heraus.

Hilfen:

Zügelhilfen	Beim einhändigen Reiten Anheben der Zügelhand und Nach-vorne-Gehen der Zügelhand um maximal 10 cm.
Gewichtshilfen	Verlagern des Schwerpunktes nach vorne durch leichtes Nach-vorne-Neigen des Oberkörpers, eventuell leichte Gewichtsverlagerung in die Steigbügel, um den Rücken frei zu machen.
Schenkelhilfen	Der äußere Schenkel wird weit zurückgenommen und treibt, der innere Schenkel bleibt am Gurt ohne Berührung des Pferdes.

Ausführung:
Kann der Reiter das Pferd in Schritt und Trab zuverlässig kontrollieren, so kann er mit der Galopparbeit anfangen. Ziel ist, das Pferd durch entsprechende Hilfen jederzeit und an jeder von uns gewünschten Stelle angaloppieren lassen zu können. Ist das Pferd durch gründliche Longenarbeit vorbereitet worden, wird es aus purer Gewohnheit auf dem Rechtszirkel im Rechtsgalopp anspringen, auf dem Linkszirkel im Linksgalopp. Um es aber auf der Geraden richtig angaloppieren zu können, muß es lernen, auch auf Schenkelhilfen hin richtig anzugaloppieren. Wir reiten zum Üben auf dem Zirkel, auf der linken Hand, also entgegen dem Uhrzeigersinn. Um anzugaloppieren, nehmen wir den äußeren (rechten) Schenkel deutlich zurück und treiben damit, der linke Schenkel bleibt passiv. Das Pferd soll in den Linksgalopp springen, beim Linksgalopp greift der rechte Hinterfuß des Pferdes als erstes vor und beginnt zu galoppieren, deshalb die treibende Schenkelhilfe von rechts. Das Gewicht wird leicht auf den rechten Gesäßknochen und leicht nach vorne verlagert, um die innere (linke) Vorhand zu entlasten und unseren Schwerpunkt nach vorne zu verlegen. Nachdem das Pferd mit dem rechten Hinterfuß vorgetreten ist, kommen in der Fußfolge als nächstes der linke Hinterfuß und der rechte Vorderfuß gleichzeitig nach vorne, anschließend der linke Vorderfuß. Befindet sich das Reitergewicht leicht nach rechts verlagert, fällt es dem Pferd leichter, vor allen Dingen, wenn es nach links gestellt ist, die linken Beine richtig zu setzen. Das Pferd ist leicht nach links in die Bewegungsrichtung gestellt mit den Zügelhilfen, die für das Zirkelreiten gelten. Beim jungen Pferd oder zur Verbesserung der Haltung des Pferdes also mit einer leicht gehobenen inneren (linken) Hand und tiefen äußeren (rechten) Hand. Wollen wir angaloppieren, heben wir leicht die Zügelhände als Ankündigung und gehen zusammen mit den anderen Hilfen mit den Händen etwas nach vorne, da das Pferd durch die ihm eigene Kopfbewegung beim Galoppieren mehr Zügelspielraum braucht.

Galoppiert das Pferd nicht an, sondern fällt in einen schnellen Trab, müssen wir es sofort wieder verlangsamen. Galoppiert das Pferd richtig, wird die Schenkelhilfe natürlich unterlassen, wir bleiben aber mit dem Gewicht leicht nach außen im Sattel sitzen. Junge Pferde versucht man am besten aus Trabzirkeln heraus anzugaloppieren. Im Gegensatz zu den älteren, trainierten Pferden, die gut angaloppieren, wenn sie in die Bewegungsrichtung gestellt sind, also nach links gestellt im Linksgalopp, tun sich die meisten jungen Pferde schwer damit. Um auf einem Linkszirkel richtig angaloppieren zu können, muß das Pferd vermehrt Gewicht mit dem linken Vorderbein aufnehmen und trotzdem mit dem linken Bein frei vorgreifen können beim Galoppieren. Dies schaffen nur Pferde, die einen gewissen Grad an Gymnastizierung aufweisen können. Dem jungen Pferd kann man das Verständnis für das Angaloppieren auf der richtigen Hand erleichtern, wenn man den äußeren Schenkel zurücknimmt, das Gewicht nach außen verlagert und das Pferd minimal nach außen stellt, also beim Linksgalopp nach rechts.

Das freilaufende Pferd balanciert sich im Galopp auf diese Weise aus, indem es als Balancehilfe seinen Kopf nach außen nimmt. Galoppiert das Pferd auf diese Weise an, stellt man es natürlich wieder nach innen. Mit zunehmender Gymnastizierung wird man das Pferd recht schnell auch gerade, beziehungsweise nach innen gerichtet angaloppieren können.

Es gibt Pferde, die sich auf einer bestimmten Hand nur schlecht angaloppieren lassen, meist ist dies die rechte Seite. Diese Seite ist meist etwas ungelenkiger als die linke. Das Wichtigste ist, das Pferd auf beiden Seiten sehr gut zu gymnastizieren. Sollte das Angaloppieren trotzdem nicht zuverlässig gelingen, ist es das Sicherste, wenn man es aus dem Schenkelweichen heraus übt. Für den Rechtsgalopp stellt man die Hinterhand des Pferdes nach rechts, Kopf und Hals etwas nach links, wodurch die innere, die rechte Schulter frei wird, die im Rechtsgalopp ja nach vorne greifen soll. Das rechte Reiterbein geht etwas nach vorne, aber weg vom Pferd, das linke Bein wird zurückgenommen und trägt mehr Gewicht. Beim Angaloppieren verlagern wir also wieder den Schwerpunkt nach außen, um es so0dem Pferd leichter zu machen, die innere Schulter zu heben. Mit den Zügeln halten Sie eine leichte Anlehnung aufrecht, wobei Sie in unserem Beispiel die rechte Zügelhand etwas höher halten, auch das ermutigt das Pferd, mit dem rechten Vorderbein vorzugreifen. Üben Sie jetzt mit dem äußeren, zurückliegendem Schenkel Druck aus, sollte das Pferd im Rechtsgalopp anspringen. Solange es auf diesen zwei Spuren läuft, also mit der Hinterhand nach innen gestellt ist, kann es gar nicht anders, als im Rechtsgalopp anzuspringen.

Achten Sie darauf, Ihr Pferd nicht in den Galopp zu treiben. Es soll die Gangart des Galoppes nicht als Rennerei ansehen, sondern als weitere Art der gelassenen Fortbewegung. Treiben wir das Pferd zu sehr in den Galopp hinein, wird es in Zukunft im Galopp leicht zu stürmen anfangen. Mit zunehmender Ausbildung von Pferd und Reiter werden auch hier die Hilfen für das Angaloppieren wieder auf ein Minimum reduziert. Es reicht dann eine minimale Schwerpunktverlagerung, verbunden mit einem leichten Zurücknehmen des äußeren Schenkels und einem minimalen Vorgehen der Hand aus, um das Pferd sofort zum Angaloppieren bewegen zu können.

Wendungen - Turns

Das freilaufende Pferd ändert seine Richtung, indem es den Kopf und den Hals geradeaus oder entgegen der Wendung trägt, die Schulter in die gewünschte Richtung bringt und den Körper herumwirft. Mit dem Reitergewicht im Sattel ist dies aus Balancegründen nicht mehr sehr sinnvoll. Man sollte dem Pferd beibringen, daß es unter dem Reiter Kopf und Hals in die Bewegungsrichtung stellt und die Schultern diesen folgen. Die Hinterhand folgt dann der Vorhand. Ohne Reiter kann sich das Pferd in der ihm eigenen Art, die Kurve zu nehmen, ausbalancieren, indem es seinen Schwerpunkt dementsprechend verlagert. Kommt das Gewicht von Reiter und Ausrüstung dazu, ist dies vor allen Dingen in höheren Gangarten nicht mehr möglich. Auch niedrigere Gangarten werden dadurch taktunrein.

Vorhandwendung
Ziel:
Das Pferd bleibt mit den Vorderbeinen stehen und läuft mit den Hinterbeinen um die Vorhand herum.

Hilfen:

Zügelhilfen	Bei einhändiger Zügelführung Anheben und Stehenlassen der Zügelhand. Bei beidhändiger Zügelführung ebenfalls Anheben der Zügelhände und Stellen des Pferdekopfes leicht entgegen der Bewegungsrichtung.
Gewichtshilfen	Gewichtsverlagerung entgegen der Bewegungsrichtung. Bei der Vorhandwendung nach rechts, also Gewichtsverlagerung auf den linken Gesäßknochen. Dabei das Gewicht angedeutet nach vorne verlagern, als Unterschied zur Hinterhandwendung.
Schenkelhilfen	Seitwärtstreibender Schenkel maximal eine Handbreit hinter dem Gurt. Bei der Vorhandwendung nach rechts treibt der linke Schenkel seitwärts.

Ausführung:
Es gibt eine Vielzahl von Wendungen beim Reiten. Am einfachsten zu lernen für das Pferd ist die Vorhandwendung. Bei der Vorhandwendung bleibt das Pferd mit der Vorhand stehen, während es mit der Hinterhand um die Vorhand herumläuft. Läuft das Pferd mit den Hinterbeinen nach rechts, bildet das linke Vorderbein das innere Standbein. Die Hinterbeine des Pferdes können bei dieser Wendung nicht weit unter den Körper treten, um die Vorhand zu entlasten. Es werden eher die seitwärtstretenden Hinterbeine entlastet, und dies ist der Grund, warum die Pferde diese Lektion der Wendungen am schnellsten erlernen. Hat man diese Übung in der Bodenarbeit schon absolviert, hat man es vom Sattel aus einfacher. Sie heben die Zügelhände, stellen das Pferd mit den Zügeln leicht entgegen die Bewegungsrichtung und klopfen mit dem linken Schenkel hinter dem Gurt. Mit der Vorhand darf das Pferd auf der Stelle treten oder einen kleinen Kreis beschreiben, aber die Hinterhand muß immer in gerader Linie hinter der Vorhand bleiben. Bei der Vorhandwendung nach rechts treibt der linke Schenkel seitwärts, das Gewicht wird nach links und leicht nach vorne verlagert. Durch diese Übung lernt das Pferd dem Schenkeldruck mit der Hinterhand auszuweichen. Mit den Zügeln wird das Pferd leicht nach links gestellt und in der Vorwärtsbewegung gebremst.

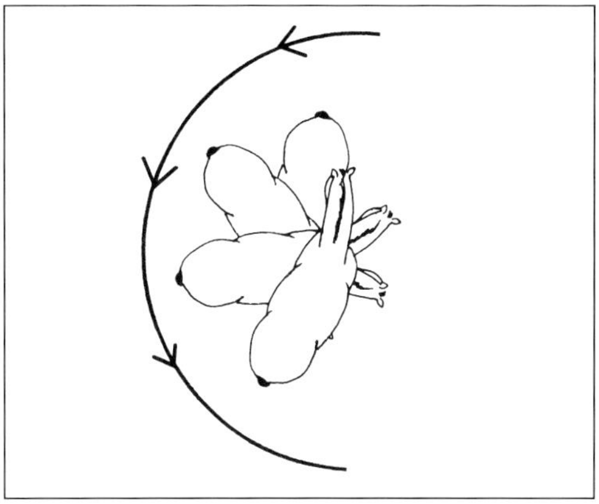
Skizze einer korrekten Vorhandwendung nach links.

Hinterhandwendung
Ziel:
Das Pferd bleibt mit der Hinterhand stehen und dreht mit der Vorhand um das innere Hinterbein. Das Pferd soll fast gerade bis leicht in die Bewegungsrichtung gestellt sein.

Hilfen:

Zügelhilfen	Bei einhändiger Zügelführung wird die Zügelhand angehoben und maximal 10 cm seitlich in die Bewegungsrichtung geführt. Bei beidhändiger Zügelführung ebenso mit den

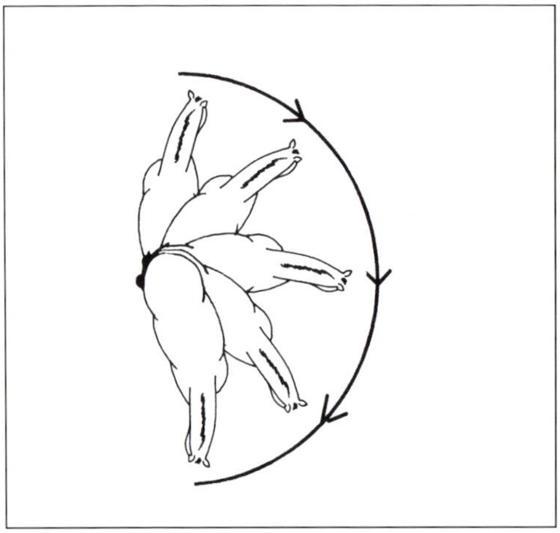

Skizze einer korrekten Hinterhandwendung.

Hinterhandwendung nach rechts mit beidhändiger Zügelführung.

	Zügelhänden in gleicher Höhe.
Gewichtshilfen	Das Gewicht wird auf die abgewandte Seite der Wendung verlagert. Bei der Hinterhandwendung nach rechts also nach links und nach hinten, da das Pferd hinten auf der Stelle stehen bleiben soll.
Schenkelhilfen	Bei einer Wendung nach rechts treibt der linke Schenkel maximal eine Handbreit hinter dem Gurt seitwärts.

Ausführung:
Schwieriger als die Vorhandwendung ist für das Pferd die Hinterhandwendung, bei der es mit seiner Vorhand um die Hinterhand herumlaufen soll. Üben sollte man dies erst, wenn das Pferd das Schenkelweichen beherrscht. Man fängt natürlich mit der leichteren Hinterhandwendung aus dem Stand an und nicht gleich mit einer Hinterhandwendung aus der Bewegung. In der einfachsten Form reiten wir im Schritt oder Trab, stoppen und vollführen eine Hinterhandwendung um 180 Grad, um anschließend genau in die entgegengesetzte Richtung davonzureiten. Man sollte diese Übung zuerst einmal mit einer Bahnbegrenzung üben und erst später in der Hallenmitte. Man reitet mit einer Pferdelänge Abstand zur Bahnbegrenzung geradeaus, stoppt und vollführt die Wendung in Richtung Bahnbegrenzung. Wir reiten auf der rechten Hand, die Bahnbegrenzung ist also links von uns. Nun stoppen wir. Jetzt soll das Pferd entgegen dem Uhrzeigersinn, also nach links mit der Vorhand um die Hinterhand herumlaufen, es soll dabei mit dem linken Hinterbein stehenbleiben. Wir heben beide Zügelhände an, halten die Hände auf gleicher Höhe und führen dabei das Pferd nach links. Durch die Zügelhaltung wird das Pferd leicht nach links, also in Bewegungsrichtung gestellt. Dies ist später notwendig für Hinterhandwendungen mit höherer Geschwindigkeit. Tritt das Pferd dabei nach hinten, sind die

Zügel zu kurz, tritt das Pferd nach vorne weg, geben wir leichte „Bremsimpulse“ durch minimales Verkürzen der Zügel, die wir aber sofort wieder länger lassen, damit das Pferd am losen Zügel laufen kann. Gleichzeitig üben wir nun kleine Seitwärtsimpulse mit dem rechten Schenkel hinter dem Gurt aus und verlagern unser Gewicht nach rechts, um dem Pferd das Seitwärtstreten in die Bewegungsrichtung zu erleichtern, und nach hinten, damit das Pferd mit der Hinterhand auf der Stelle stehen bleibt. Ist das Pferd durchlässig genug für unsere Hilfen, wird es jetzt mit der Vorhand seitwärtstretend um die Hinterhand laufen. Nun sei nicht verheimlicht, daß dies auf Anhieb im allgemeinen nicht funktioniert. Für die Hinterhandwendung ist das Zusammenspiel aller Hilfen gefordert, damit sich das Pferd wunschgerecht bewegt. Für einen Reitanfänger ist diese Koordination außerordentlich schwierig.

Korrekturen:
Es muß hinzugefügt werden, daß solche Wendungen mit den typischen Westernpferderassen wie Quarter Horses, Paint Horses und Appaloosas wesentlich leichter auszuführen sind. Bei anderen Rassen kann man sich am Anfang damit behelfen, daß man das Pferd entgegen der Bewegungsrichtung stellt, dadurch fällt ihm das Seitwärtstreten leichter. In unserem Beispiel stellen wir das Pferd bei gleicher Handhaltung leicht nach rechts statt nach links. Gelingt ihm in dieser Art die Hinterhandwendung, stellen wir es langsam gerade und dann leicht in die Bewegungsrichtung. Die Hände sind immer auf gleicher Höhe zu halten. Dadurch fällt es dem Pferd leichter, das Seitwärtstreten von der Hinterhandwendung zu unterscheiden, bei der es mit dem inneren Hinterfuß ja stehen bleiben soll. Darüber hinaus bereiten wir so das Pferd für die Zügelhilfe beim einhändigen Reiten vor.

Man startet eine Hinterhandwendung normalerweise immer aus dem Stand heraus. Am besten, man läßt das Pferd ein oder zwei Schritte zurücktreten, damit seine Hinterbeine mehr unter seinen Körper kommen. Damit bekommt der innere hintere Standfuß die korrekte Position. Man verlagert zum Einleiten der Wendung seinen Schwerpunkt etwas nach vorne, aber bevor das Pferd noch einen Fuß abhebt, lenken wir es seitwärts in die Wendung hinein und verlagern unseren Schwerpunkt wieder nach hinten.

Dies führt dazu, daß das Pferd mit den Vorderbeinen richtig kreuzt. Bei der Wendung nach rechts heißt das, daß das linke Vorderbein vor dem rechten Vorderbein vorbeigeführt werden muß. Geben wir zu starke Rückwärtshilfen, kreuzt das Pferd hinter seinem Vorderbein. Hat das Pferd um 180 Grad gewendet, steht es also entgegen seiner bisherigen Bewegungsrichtung, kommt der innere Schenkel dazu und treibt das Pferd vorwärts, der äußere Schenkel wird statt der Seitwärtshilfe hinter dem Gurt am Gurt zum Vorwärtstreiben angelegt.

Beherrscht das Pferd den korrekten Turn, verlagern wir nach dem Anhalten unseren Schwerpunkt nur noch leicht nach hinten, damit auch das Pferd vor dem Turn seinen Schwerpunkt nach hinten verlagert. Das Pferd setzt dabei seinen inneren Standfuß in die richtige Position, nicht mehr. Dann leiten wir den Turn ein, achten darauf, daß wir wirklich die 180-Grad-Drehung vollenden und nehmen zum richtigen Zeitpunkt beide Schenkel an den Gurt, um dem Pferd das Signal zum Vorwärtsgehen zu geben. Das Pferd sollte immer korrekt, aber zügig aus einem Turn herausgeritten werden.

Roll Back

Getrennt aufgeführt sei hiermit die Hinterhandwendung aus dem Galopp, der Roll Back, der vor allen Dingen in der Reining-Disziplin ausgeführt wird.

Ziel:
Eine Hinterhandwendung um 180 Grad aus dem Galopp, wobei das Pferd wie auch bei den anderen Hinterhandwendungen exakt in der Linie zurücklaufen soll, aus der es gekommen ist.

Roll Back nach links mit beidhändiger Zügelführung.

Hilfen:

Zügelhilfen	Wie bei der Hinterhandwendung beschrieben, auf jeden Fall in die Bewegungsrichtung gestellt.
Gewichtshilfen	Nach außen, also beim Roll Back nach links, Gewicht nach rechts, stärker als bei Hinterhandwendungen in langsameren Gangarten. Gewicht nach rechts und leicht nach hinten, da das Pferd mit der Hinterhand stehen bleiben soll.
Schenkelhilfen	Der zurückgelegte äußere Schenkel treibt seitwärts in die Bewegungsrichtung. Beim Roll Back nach links treibt der rechte Schenkel seitwärts.

Ausführung:

Aus dem Galopp heraus wird exakt gestoppt, dann wird eine angedeutete Rückwärtshilfe gegeben, damit das Pferd die Hinterbeine unter sich behält, das innere Standbein richtig setzt und die Hinterhandwendung eingeleitet wird, wobei der äußere Schenkel etwas weiter zurückgenommen wird und das Gewicht deutlicher entgegen der Bewegungsrichtung kommt. Beim Roll Back nach links treibt der rechte Schenkel hinten seitwärts, das Gewicht wird deutlich nach rechts / hinten verlagert, hat das Pferd die Hinterhandwendung vollendet, also nach exakt 180 Grad, kommt der innere, hier der linke Schenkel am Gurt dazu und treibt das Pferd vorwärts, der jetzt äußere Schenkel geht von der Seitwärtsposition hinter dem Gurt an den Gurt vor und treibt ebenfalls vorwärts.

Spin

Ziel:

Der Spin ist eine Hinterhandwendung um 360 Grad, die ein- oder mehrmals hintereinander geritten wird. Das Pferd dreht exakt um das innere Hinterbein.

Hilfen:

Zügelhilfen	Wie bei der Hinterhandwendung beschrieben.
Gewichtshilfen	Wie beim Roll Back beschrieben, beim Spin nach rechts wird also das Gewicht deutlich nach links / hinten verlagert.
Schenkelhilfen	Der äußere Schenkel treibt seitwärts, der innere Schenkel bleibt deutlich vom Pferd weg.

Ausführung:

Beim Spin nach links treibt das rechte Bein hinter dem Gurt seitwärts nach links. Das linke Bein befindet sich weg vom Pferdekörper, um es durch eine eventuelle Berührung nicht beim Drehen zu verlangsamen. Beim Spin nach links hat der Reiter das Gewicht vermehrt auf der rechten Seite, um dem Pferd die linke Schulter zu entlasten, damit es schnell drehen kann. Gewicht außerdem leicht nach hinten, da das Pferd mit der Hinterhand stehen bleiben soll. Die Zügelhilfe entspricht der normalen Hinterhandwendung.

Um dem Pferd einen exakten Spin beizubringen, kann man den Spin auch aus der Volte rei-

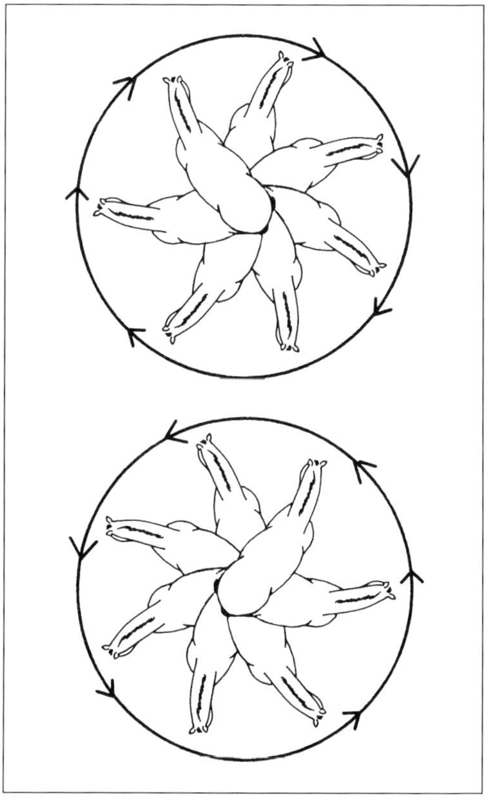

Skizze eines korrekten Spins mit in Bewegungsrichtung gestelltem Pferd.

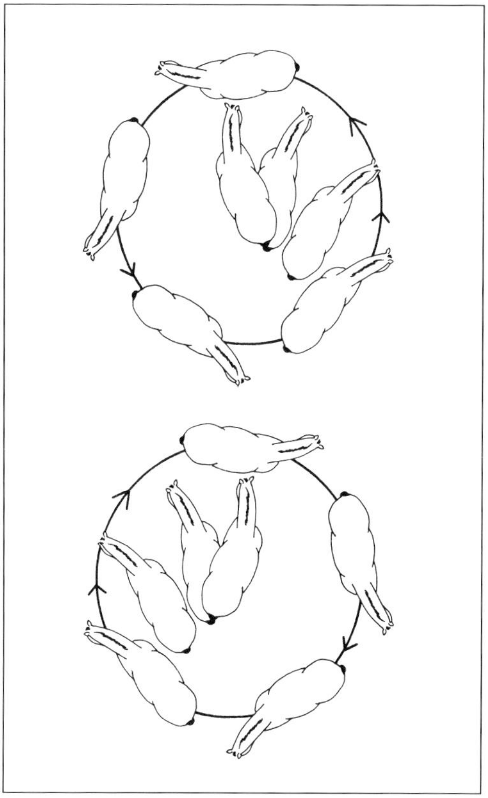

Skizze eines Spins aus der Volte in Außenstellung geritten.

ten. Man reitet zum Beispiel eine Volte nach links und reitet diese Volte in Außenstellung des Pferdes. Das heißt, die Volte reitet man entgegen dem Uhrzeigersinn, das Pferd ist entgegen der Bewegungsrichtung, also nach rechts gestellt. Nun zieht man die Volte vom Durchmesser her immer weiter zu und gibt die exakten Hilfen zur Hinterhandwendung. Ist der Durchmesser der Volte eng genug, bleibt das Pferd mit dem inneren, also hier dem linken Hinterfuß stehen und kreuzt mit den Vorderbeinen nach links. Hat das Pferd den Ablauf des Spins verstanden, wird es wieder in die Bewegungsrichtung gestellt. Nachdem das Pferd zwei, drei, dann vier und fünf Spintritte richtig ausübt, kann man dazu übergehen, eine gesamte 360-Grad-Wendung zu reiten. Immer langsam im Schritt versteht sich. Führt das Pferd einen Spin exakt aus, kann man langsam dazu übergehen, zwei, dann drei Spins auszuüben. Immer noch in langsamer Geschwindigkeit und mit großer Aufmerksamkeit, ob das Pferd beziehungsweise der Reiter die Übung korrekt ausführt.

Wenn das Pferd gelernt hat, drei oder vier Drehungen korrekt auszuführen, in gleichem ruhigen Rhythmus und in beide Richtungen, beginnt man es ein wenig zu beschleunigen. Dies erfolgt nicht mit den Händen, womöglich durch erhöhte Zügeleinwirkung, sondern ausschließlich durch verstärkten Schenkeldruck. Der äußere Schenkel ist für die Geschwindigkeit des Seitwärtstretens da. Das drehende Pferd braucht dazu Kopffreiheit, um richtig drehen und sich dabei ausbalancieren zu können. Nehmen wir die Zügel zu sehr an, hemmen wir es in seiner schwungvollen Bewegung. Auch beim Spin muß das Pferd zwischen den Zügeln bleiben. Das fertig ausgebildete, schnell drehende Pferd dreht mit nahezu gera-

Spin nach links mit beidhändiger Zügelführung geritten.

Spin nach links mit einhändiger Zügelführung geritten.

dem Körper, der Kopf ist leicht in die Bewegungsrichtung gestellt.

Ist das Pferd richtig ausgebildet, beendet es den Spin sofort, wenn ich meine Zügelhand/-hände tiefer fallen lasse und den Druck des äußeren Schenkels wegnehme. Dies nennt man „Shut Down", es ist das Anhalten, das Erstarren nach dem Spin. Man muß die Reaktionsgeschwindigkeit seines Pferdes kennen, um die Zügelhand eventuell auch etwas früher fallen zu lassen. Die Pferde haben nicht alle die gleiche Reaktionsbereitschaft, und man muß sich auf das jeweilige Pferd einstellen. Auch die entsprechende Geschwindigkeit ist dabei zu beachten. Dreht ein Pferd sehr schnell, wird es beim Shut Down durch seinen Schwung noch etwas weitergetragen werden. Man muß also rechtzeitig das Signal zum Anhalten geben. Genauso muß man sich beim Training immer darüber klar sein, wieviele Spins man reiten möchte. Man läßt nicht einfach sein Pferd drehen und hört dann auf, wenn man merkt, daß

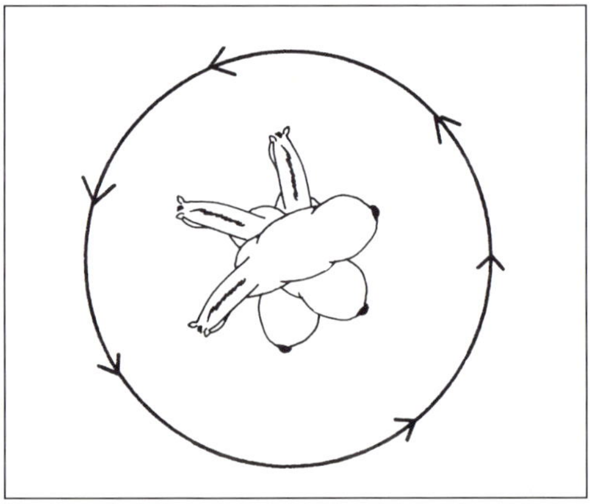

Skizze eines schlecht gerittenen Spins. Dies ist keine Hinterhandwendung, sondern eine „Mittelhandwendung".

es unaufmerksamer läuft, sondern man absolviert genau die Anzahl Spins, die man sich vorgenommen hat. Man sollte auch nie zuviele Drehungen hintereinander üben. In einem Trainingsprogramm von ca. 30 Minuten reicht das zwei- bis dreimalige Drehen in jede Richtung völlig aus. Führt das Pferd die Spins exakt aus, kann man durchaus nach einer oder zwei Drehungen aufhören. Besonderer Unfug ist oftmals auf den Abreiteplätzen von Turnieren zu sehen, wo Pferde nicht nur minutenlang, sondern manchmal eine halbe Stunde und länger oder auch einfach öfters am Tag pausenlos gedreht werden. Entweder, das Pferd beherrscht den Spin vom Training zu Hause her, oder aber es wird den Spin auch auf dem Abreiteplatz nicht lernen. Schon gar nicht mit dieser Zwangseinwirkung des ständigen Drehens. Dies ist weder der physischen noch der psychischen Gesundheit des Pferdes zuträglich. Außerdem sollte man darauf achten, nicht immer die gleiche Anzahl Spins im Training auszuüben, sonst erwarten die Pferde nach einer bestimmten Anzahl den Shut Down und fangen an, ihn vorwegzunehmen, sie beginnen zu antizipieren. Ein Pferd, das den Shut Down antizipiert, hat seinen Schwung und seine Balance verloren.

Auch wenn man ein Pferd besitzt, das schnell drehen kann, sollte man darauf achten, oft genug langsam zu drehen, damit die Spins wirklich korrekt ausgeführt werden und sich keine Fehler einschleichen. Außerdem erhält man damit dem Pferd den Spaß an der Arbeit.

Man sollte auch nicht versuchen, mit aller Macht einen schnellen Beginn der Drehungen erzwingen zu wollen. Das Pferd gerät dadurch leicht außer Kontrolle, dreht nicht mehr im Gleichgewicht und aufgrund dieser Überhastung nicht mehr korrekt. Es kann schwer sein, diesen einmal angewöhnten Fehler wieder loszuwerden. Das Pferd soll entspannt in den Spin hineingehen und auch entspannt wieder herauskommen. Ein Spin ist eine große Anstrengung für das Pferd, und wir müssen ihm Spaß daran vermitteln und nicht Furcht. Auch bei der Show beginnt man eher langsam mit dem Spin, beschleunigt und endet lieber mit einem guten Shut Down, als daß man dem Pferd erlaubt, übereilt in den Spin zu gehen und damit die Möglichkeit für viele Fehler schafft.

Korrekturen:
Wie beschrieben soll das Pferd dem angelegten äußeren Zügel weichen. Geht das Pferd nicht richtig in die Drehung, können wir ihm mit diagonalen Hilfen verdeutlichen, was wir von ihm wünschen. Beim Spin nach links zupfen wir dazu am linken, direkten Zügel nach oben / rückwärts, gleichzeitig mit korrigierender Schenkelhilfe rechts hinter dem Gurt.

Das Pferd ist hier entgegen seiner Bewegungsrichtung gestellt. Es ist beim Spin nach links mit dem Kopf nach rechts gestellt. Dies kann bei jungen Pferden als Lernhilfe manchmal notwendig sein.

Nach ein paar Überkreuzschritten der Vorderbeine verlieren viele junge Pferde den nötigen Vorwärtsimpuls, um korrekt weitertreten zu können. Man sollte diese Ausbildungspferde mit Spintraining nicht überlasten, sondern lieber enge Volten in Außenstellung reiten, die man immer weiter verengt, bis das Pferd mit dem Vorderbein zwei oder drei Tritte in die gewünschte Richtung überkreuzt. Danach legt man beide Schenkel am Gurt an und reitet das Pferd zügig geradeaus weiter. Dies übt man wenige Male hintereinander, dann das gleiche auf der anderen Hand. Dadurch bleibt der Schwung in der Bewegung des jungen Pferdes

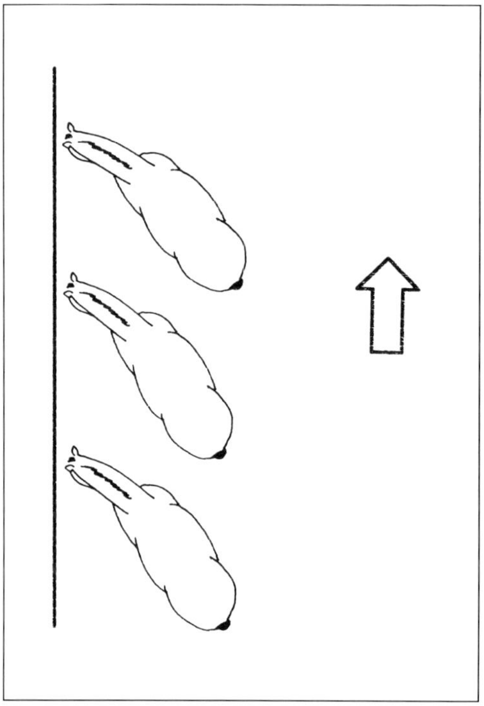

Schenkelweichen nach rechts, gegen eine Begrenzung, leicht nach links gestellt.

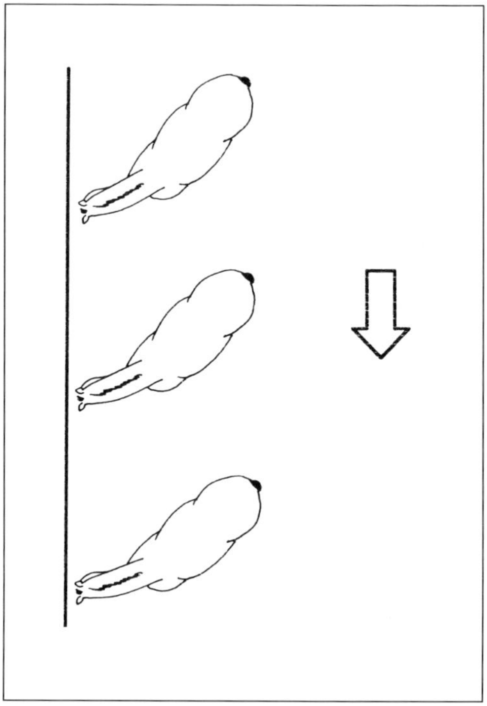

Schenkelweichen nach links, gegen eine Begrenzung, leicht nach rechts gestellt.

Schulterherein nach rechts, Pferd leicht nach links gestellt, Begrenzung hinter dem Pferd.

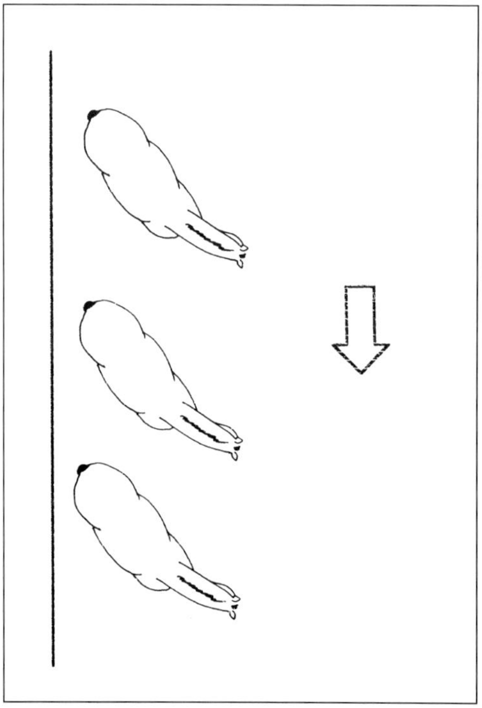

Schulterherein nach links, Pferd leicht nach rechts gestellt, Begrenzung hinter dem Pferd.

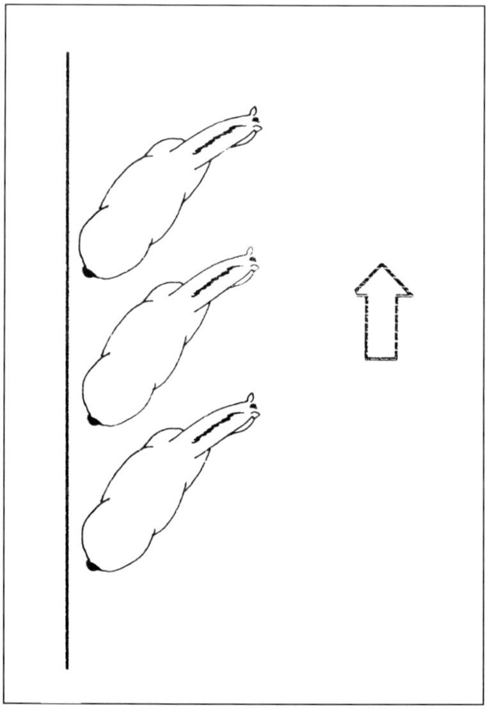

erhalten. Das Pferd ist hierbei am Anfang entgegen der Bewegungsrichtung gestellt, wir richten es beim Drehen gerade, und das Pferd, das den Spin beherrscht, ist in die Bewegungsrichtung gestellt, nur dann wird es ihm möglich sein, Spins mit hoher Geschwindigkeit absolvieren zu können.

Läuft das Pferd nach dem Anhalten nach vorne weg, sage ich „Whoa", nehme die Zügel leicht an und richte das Pferd danach ein oder zwei Schritte rückwärts. Das Pferd lernt sehr schnell, auf dem Fleck stehen zu bleiben, an dem ich die Zügelhand senke und der Schenkeldruck wegfällt.

Habe ich ein Pferd, das dazu neigt, nicht schnell genug stehenzubleiben, sondern weiterzudrehen, korrigiere ich es, indem ich es nach dem Anhalten sofort in die andere Richtung drehe. Die Pferde werden somit immer aufmerksamer, und wenn das Pferd exakt stoppt, beginne ich wieder Pausen zwischen den einzelnen Spinrichtungen einzubauen.

Ein weitverbreiteter Fehler beim Spin ist die Mittelhandwendung. Dabei dreht das Pferd nicht um seinen inneren Hinterfuß, sondern um seine Körpermitte. Hierbei muß unbedingt in der Ausbildung wieder zum Anfang zurückgegangen werden. Das Pferd muß lernen, in langsamer Geschwindigkeit exakte Spins auszuüben. Man fängt bei den Volten in Außenstellung an und läßt das Pferd ein paar Schritte überkreuzen, aber nur solange es um den inneren Hinterfuß dreht. Merken wir, wie das Pferd beginnt, sein Gewicht weiter nach vorne zu verlagern, treiben wir es energisch nach vorne aus der Drehung heraus. So bauen wir das Training wie beschrieben weiter aus, bis das Pferd wieder einen langsamen exakten Spin macht. Erst dann erhöhen wir die Drehgeschwindigkeit des Pferdes wieder.

Das Spintraining muß unbedingt langsam aufgebaut werden, damit sich die Sehnen, Bänder und Gelenke dieser langsam steigenden Belastung anpassen können.

Seitengänge

Seitengänge sind mit die wichtigsten Übungen, die ein Pferd beherrschen sollte. Man kann damit das ausgebildete Pferd hinmanövrieren, wo man will, notwendig zum Beispiel im Trailparcours, aber auch wichtig im Gelände, falls wir uns in einer kritischen Situation befinden. Zum anderen sind die Seitengänge äußerst wichtig zur Gymnastizierung des Pferdes. Das Pferd lernt seine Bewegungen richtig zu koordinieren, sich mit dem ganzen Körper zu biegen und zuverlässig und durchlässig auf unsere Hilfen zu reagieren. Zudem wirkt diese Gymnastizierung muskelbildend, wodurch sich das Pferd leichter tut, unser Reitergewicht zu tragen, ohne Schaden zu nehmen.

Ein besonderes Problem bei vielen Pferden ist die Lösung der Schulter. Von Haus aus tragen die Pferde den größeren Teil ihres Gewichtes mit der Vorhand. Kommt nun das Reitergewicht dazu, wird dies vom jungen Pferd ebenfalls weitgehend mit der Vorhand getragen. Erst im Laufe der Reitausbildung wird das Pferd gymnastiziert und lernt sein und das Reitergewicht vermehrt mit der Hinterhand zu tragen. Dieses verstärkte Gewicht auf der Vorhand führt dazu, daß sich die Muskulatur im Schulterbereich des Pferdes leicht verspannt. Damit das Pferd aber locker, schonend und in Balance zu reiten ist, braucht es die größtmögliche Beweglichkeit und Geschmeidigkeit der Schultern. Darüber hinaus beeinflussen die Seitengänge auch die notwendige Versammlung des Pferdes. Das Pferd wird dazu animiert, verstärkt mit seiner Hinterhand unterzutreten.

Schenkelweichen-Schulterherein
Two Tracking

Ziel:
Das Pferd tritt im 45 Grad Winkel vorwärts / seitwärts und läuft dabei auf zwei Hufspuren.

Hilfen:

Zügelhilfen	Beim einhändigen Reiten wird die Zügelhand angehoben und nur minimal

seitwärts entgegen der Bewegungsrichtung geführt, so daß das Pferd sich entgegen der Bewegungsrichtung stellt. Um die Reaktion des Pferdes zu verstärken und es zu veranlassen, an den Zügel zu treten, kann leicht mit der Zügelhand in der Senkrechten gewippt werden.
Beim beidhändigen Reiten wird die richtungweisende Hand deutlich angehoben und in die Bewegungsrichtung geführt. Die äußere Hand wird tief gehalten und leicht verkürzt, damit das Pferd in diese Richtung gestellt wird.

Gewichtshilfen	Das Gewicht wird entgegen der Bewegungsrichtung verlagert. Beim Schenkelweichen nach rechts wird das Gewicht auf den linken Gesäßknochen verlagert.
Schenkelhilfen	Der äußere Schenkel treibt das Pferd hinter dem Gurt in die Bewegungsrichtung. Beim Schenkelweichen nach rechts treibt der linke Schenkel hinter dem Gurt das Pferd nach rechts.

Ausführung:
Das Schenkelweichen und das Schulterherein ist von der Hilfengebung her exakt dasselbe. Der Unterschied besteht ausschließlich darin, daß beim Schenkelweichen der Kopf des Pferdes zur Reitbahnbegrenzung gerichtet ist, beim Schulterherein der Kopf des Pferdes jedoch zur Bahnmitte zeigt. Das Schenkelweichen ist dadurch etwas leichter zu erlernen. Beim Schulterherein merken wir es dann, ob wir das Pferd richtig unter Kontrolle haben oder ob es uns mit der Vorhand davonläuft, da es keine Begrenzung mehr vor der Nase hat.

Das Schenkelweichen ist aufgrund unserer Vorübungen recht einfach auszuführen. Wie schon der Ausdruck besagt, weicht das Pferd dem Schenkeldruck des Reiters aus. Soll das Pferd nach rechts treten, weicht es also dem linken Schenkel aus. Das Pferd befindet sich mit Vorhand und Hinterhand auf zwei unterschiedlichen Spuren. Das Pferd selbst soll ungefähr im Winkel von 45 Grad laufen. Am Anfang ist es leichter, wenn man das Pferd mit dem Kopf in Richtung einer Begrenzung laufen läßt, da es für das Pferd einfach logischer ist, dieser dann auszuweichen. Auch hier fällt es, wie bei der Vorhandwendung, leichter, die Übung erst einmal vom Boden aus mit dem Pferd zu üben.

Wollen wir das Pferd vom Sattel aus nach rechts weichen lassen, stellen wir Pferdekopf und -hals leicht nach links, den linken Zügel verkürzen wir etwas und halten ihn tief, den rechten Zügel heben wir als richtungsweisend an, verlängern ihn etwas und führen damit das Pferd nach rechts. Befindet sich das Pferd in der gewünschten Stellung, wird sofort mit der Zügellänge nachgegeben, allerdings behält man die richtungweisende Hand oben und die andere unten. Dazu treiben wir mit dem linken Schenkel hinter dem Gurt und nehmen unser Gewicht leicht nach links. In diesem Falle ist die Gewichtshilfe als eine Verstärkung der Schenkelhilfe anzusehen, darüber hinaus erleichtert die dadurch wenig belastete rechte Vorhand das Überkreuzen der Vorderbeine. Das Schenkelweichen bringt das Pferd zum korrekten Kreuzen der Vorderbeine, wie man es später bei anderen Seitengängen und Wendungen braucht. In dieser Winkelung kann das Pferd nicht anders, als korrekt mit dem äußeren Bein vor dem inneren herzutreten. Beim Schenkelweichen von links nach rechts kreuzt es also mit dem linken Bein vor dem rechten. Dies trifft zumindest zu, solange sich das Pferd in einer Vorwärtsbewegung befindet.

Am Anfang lassen wir das Pferd im Schritt auf eine Begrenzung zu weichen. Beherrscht das Pferd diese Übung, führen wir die gleiche Übung zur Bahnmitte hin aus, dies wird Schul-

Schenkelweichen im Schritt mit beidhändiger Zügelführung nach links. Der linke Schenkel bleibt weg vom Pferd, der rechte Schenkel übt im richtigen Moment Druck hinter dem Gurt aus, folglich hebt daraufhin das rechte Hinterbein ab und kreuzt.

Schenkelweichen im Schritt mit einhändiger Zügelführung.

Schenkelweichen nach rechts durch die Ecke geritten. Die Vorderbeine müssen einen größeren Weg zurücklegen als die Hinterbeine.

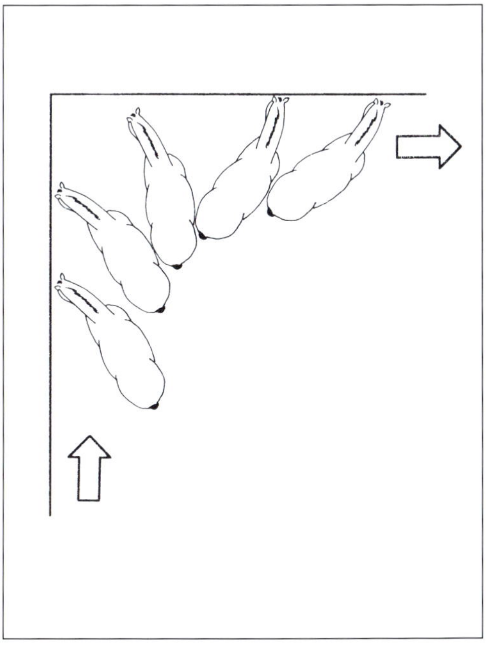

Schulterherein nach links durch die Ecke geritten. Die Hinterbeine legen hierbei eine größere Strecke zurück als die Vorderbeine.

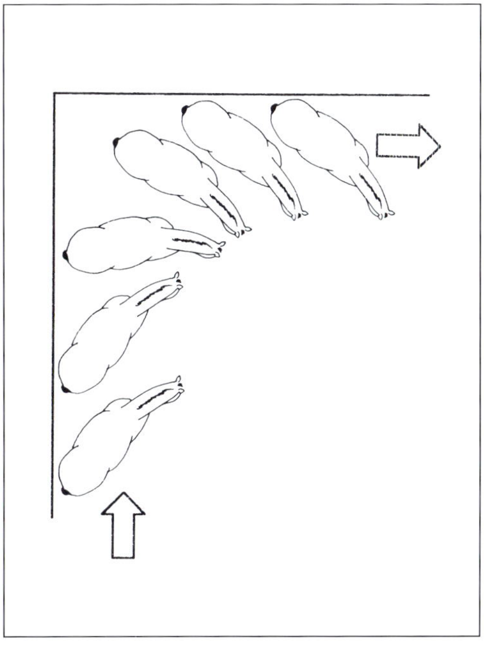

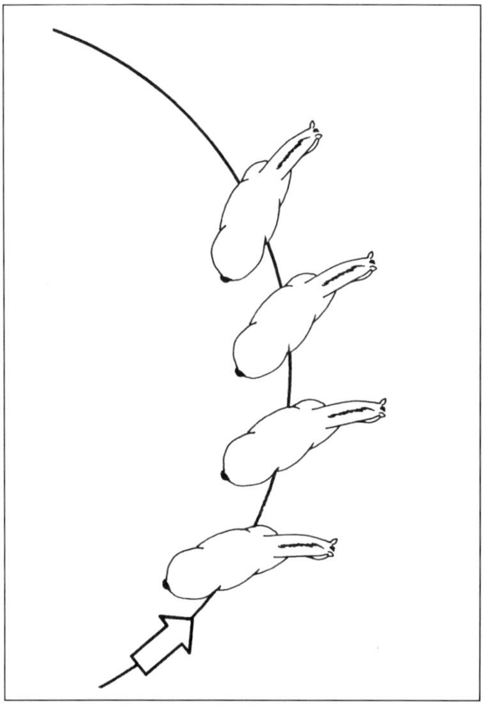

Schenkelweichen nach links auf dem Zirkel.

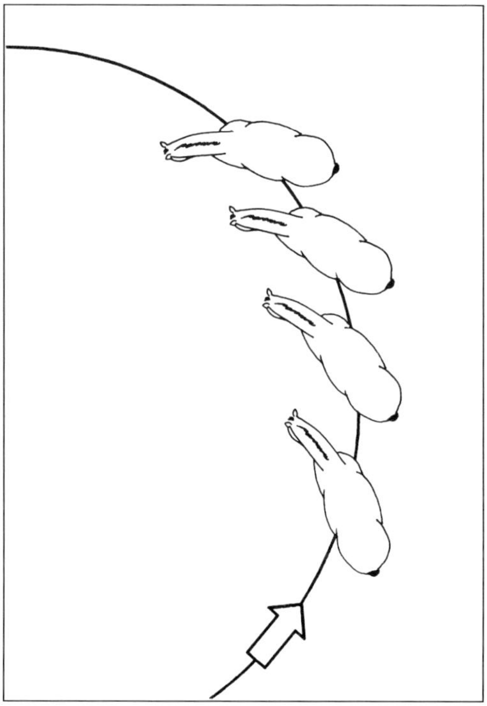

Schulterherein nach rechts auf dem Zirkel.

Schenkelweichen nach links auf der Volte.

Schulterherein nach rechts auf der Volte.

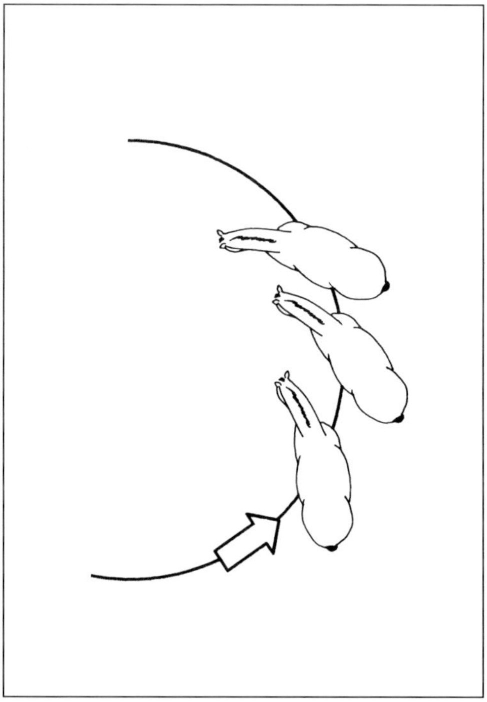

Schulterherein mit beidhändiger Zügelführung im Schritt geritten.

terherein genannt, ebenfalls im Schritt. Später wird die gleiche Übung im Trab geritten. Wir üben hiermit die exakte Kontrolle über Vorwie auch Hinterhand des Pferdes. Das korrekt gerittene Schulterherein ist die Voraussetzung für die anderen Seitengänge. Schenkelweichen ist trotz aller Gymnastizierung sehr anstrengend für das Pferd. Die zu reitende Dauer ist natürlich vom Ausbildungsstand des Pferdes abhängig. Für ein junges Pferd reichen ein paar exakte Tritte aus. Dies wird langsam ausgeweitet, bis wir eine Länge der Bahn schaffen. Später kann das Pferd durchaus eine ganze Bahnrunde gehen. Bevor wir dann das Schenkelweichen auf der anderen Hand üben, sollte allerdings mindestens eine Runde im Jog geritten dazwischen liegen, damit sich die Muskulatur des Pferdes lösen und entspannen kann und nicht überstrapaziert wird.

Am Anfang der Ausbildung wird man nur an geraden Strecken, zum Beispiel der Länge der Bahn, das Schenkelweichen üben. Später, vor allen Dingen im Jog geritten, werden wir auch Ecken durchreiten und auch Zirkel und Volten absolvieren. Will man eine Ecke im Schulterherein reiten, muß man darauf achten, daß das Pferd nicht anfängt, die Ecke abzukürzen. Das Pferd ist korrekt auf zwei Hufschlägen zu reiten, dabei haben die Hinterbeine einen größeren Radius zurückzulegen als die Vorderbeine. Diese sollen allerdings nicht stehenbleiben, sondern einfach in einem kleineren Durchmesser mittreten. Dazu sind beim Durchreiten der Ecke die Gewichts- und Schenkelhilfen deutlich zu intensivieren, damit das Pferd mit der Hinterhand verstärkt seitwärts tritt.

Können wir das Pferd im Schulterherein durch eine Ecke reiten, beginnen wir damit, es auf dem Zirkel und später auch in der Volte im Schulterherein zu reiten. Durch die Biegung des Pferdes auf der Zirkellinie haben wir alle gymnastizierenden Vorteile, die wir uns wünschen können. Eine Volte im Schulterherein läßt sich am einfachsten entwickeln aus einer Ecke, die im Schulterherein geritten wurde.

Korrekturen:

Der häufigste Fehler beim Schenkelweichen ist der, daß das Pferd zu stark nach außen gestellt wird. Das Pferd soll so gerade wie möglich zwischen den Zügeln laufen, nur eine leichte

Schenkelweichen beidhändig im Trab geritten.

Außenstellung ist erlaubt. Es kommt hierbei auf eine genaue Koordination von Zügel- und Schenkelhilfen an. Aus Erfahrung kann ich sagen, daß selbst junge Pferde das Schenkelweichen meist besser beherrschen als ihre Reiter.

Bleibt das Pferd mit der Vorhand stehen, ist es im allgemeinen im Hals zu stark gebogen. Wir stellen das Pferd fast gerade und führen es mit dem direkten Zügel in die Bewegungsrichtung. Wollen wir es nach rechts weichen lassen, heben und verkürzen wir den rechten Zügel, bis das Pferd fast geradegestellt ist. Der linke Zügel muß so kurz sein, daß das Pferd nicht seinen Kopf nach rechts nehmen kann. Wir treiben es nun mit Gewichts- und Schenkelhilfen seitwärts und lassen die Zügel sofort wieder lockerer, aber in der richtigen Ausgangshaltung, rechts hoch in die Bewegungsrichtung, links tief und am Hals anliegend.

Bleibt das Pferd hinten stehen und kreuzt nicht, stellen wir es kurz stark entgegen der Bewegungsrichtung und treiben mit dem Schenkel intensiv seitwärts. Sobald es einen Schritt mit der Hinterhand gemacht hat, nehmen wir wieder unsere korrekte Grundstellung ein. Soll das Pferd nach rechts weichen, stellen wir es kurzfristig stark mit dem Kopf nach links. Um im Gleichgewicht zu bleiben, muß das Pferd die Kruppe nach rechts schwenken. Dies unterstützen wir mit dem seitwärtstreibenden linken Schenkel. Sobald sich das Pferd in Bewegung setzt, müssen wir unsere normale Grundhaltung einnehmen, sonst weicht das Pferd nur mit seiner Hinterhand, bleibt vorne stehen und wir reiten eine Vorhandwendung.

Fängt das Pferd nicht an, dem Schenkel zu weichen, heißt das noch lange nicht, daß es sich uns widersetzt. Wahrscheinlich versteht es unsere Hilfen nicht, beziehungsweise weiß nicht, wie es aus dem Stand seine Füße koordinieren soll, um richtig seitwärts zu treten. Wir können dem Pferd helfen, indem wir erst ein oder zwei Schritte vorwärtsreiten und dann aus der Vorwärtsbewegung heraus das Schenkelweichen einleiten. Dies machen wir auch immer wieder, wenn das Pferd beim Schenkelweichen aus dem Rhythmus kommt und vorne und hinten unterschiedlich weicht.

Weicht das Pferd nicht ausreichend mit der Vorhand, kommt es dazu, daß das Pferd auf einmal rechtwinklig zur Bewegungsrichtung steht. Das hat vor allen Dingen beim Pferd, welches das Schenkelweichen noch nicht perfekt beherrscht, zur Folge, daß das Pferd mit den Vorderbeinen falsch kreuzt. Es soll mit dem äußeren Bein vor dem inneren kreuzen. Beim Schenkelweichen nach rechts bedeutet dies, daß das Pferd mit seinem linken Vorderbein vor dem rechten kreuzt.

Eilt das Pferd beim Schulterherein im Trab zu sehr vorwärts und tritt nicht richtig über, verkürzen wir die Zügel etwas, verlagern unseren Schwerpunkt nicht nur seitwärts, sondern auch etwas nach hinten, um das Pferd etwas zu bremsen, und treiben intensiv mit dem hinter dem Gurt liegenden Schenkel seitwärts. Liegt der Schenkel am Gurt an, treibt er vorwärts, liegt er hinter dem Gurt an, treibt er seitwärts. Darüber hinaus sollte man auf die Art und Weise des Schenkeldruckes achten. Der Schenkeldruck hat impulsartig zu erfolgen, kurz vor dem Moment, wo das entsprechende Hinterbein des Pferdes vom Boden abhebt. Nur dann kann der Schenkeldruck so einwirken, daß das Pferd seitwärts tritt. Fußt das Pferd gerade auf, kann unser Schenkeldruck überhaupt keine Wirkung zeigen. Selbstverständlich sollte bei allen Übungen sein, daß sie in beide Richtungen geübt werden. Auf die Seite, auf der das Pferd etwas steifer ist, wird sogar noch etwas häufiger geübt. Dies führt dazu, hält man sich konsequent daran, daß das Pferd nach einiger Zeit auf beiden Seiten gleich gut gymnastiziert ist.

Travers / Renvers

Der Travers ist die nächste Stufe der Gymnastizierung des Pferdes. Die lockere Losgelassenheit des Pferdes wird dadurch noch größer, die Rückenmuskulatur kräftiger. Der Travers entspricht dem Schenkelweichen, nur ist das Pferd dabei in die Bewegungsrichtung gestellt. Der Renvers entspricht dem Schulterherein, auch hier allerdings in die Bewegungsrichtung gestellt.

Ziel:

Das Pferd soll locker und entspannt, ausreichend versammelt dem Schenkel weichen und dabei mit Kopf und Hals in die Bewegungsrichtung gestellt sein. Die Schrägstellung soll 45 Grad betragen.

Travers im Schritt mit beidhändiger Zügelführung.

Hilfen:

Zügelhilfen	Beim einhändigen Reiten wird die Zügelhand zur Ankündigung leicht angehoben und dann etwas in die Bewegungsrichtung geführt. Bei beidhändigem Reiten wird die richtungweisende Hand angehoben und das Pferd damit in die Bewegungsrichtung geführt, der andere Zügel wird tief gehalten und liegt am Pferdehals an, das Pferd soll dem äußeren Zügel weichen. Der innere Zügel soll später beim korrekt ausgeführten Travers innen am Hals anliegen, was die richtige Rundung des Pferdehalses verstärkt, siehe auch Reiten auf dem Zirkel (S. 75).

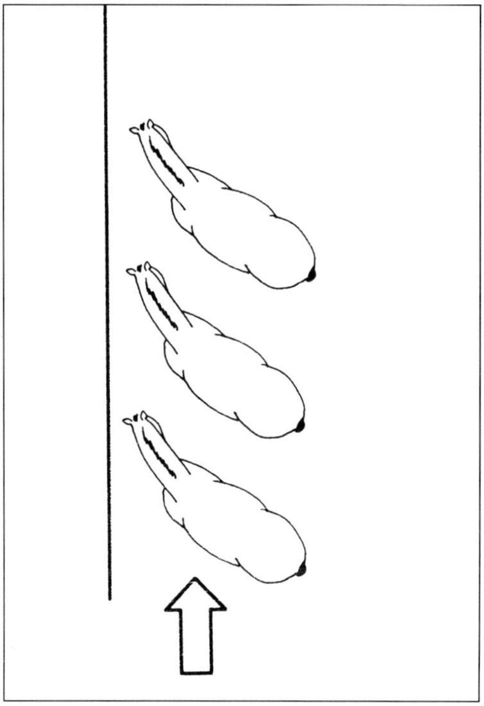

Travers nach rechts.

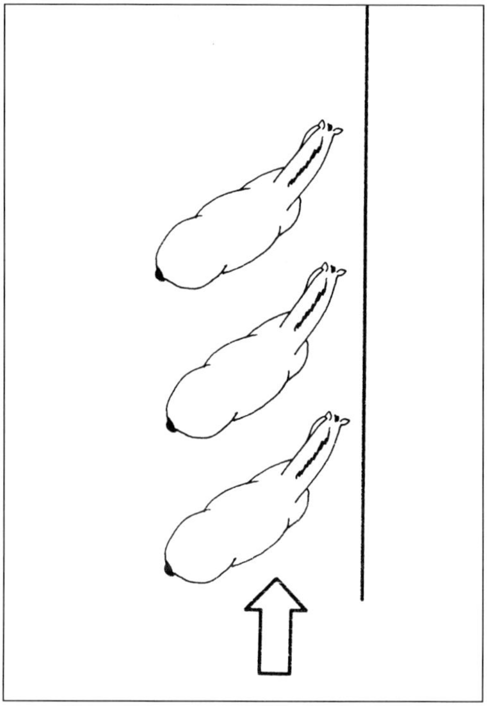

Travers nach links.

Renvers nach links. Folglich entspricht der Travers rechts genau Renvers links. Die Biegung und die Bewegungsrichtung des Pferdes sind identisch. Im Travers ist allerdings der Kopf des Pferdes zur Hallenbegrenzung gerichtet, im Renvers zur Bahnmitte.

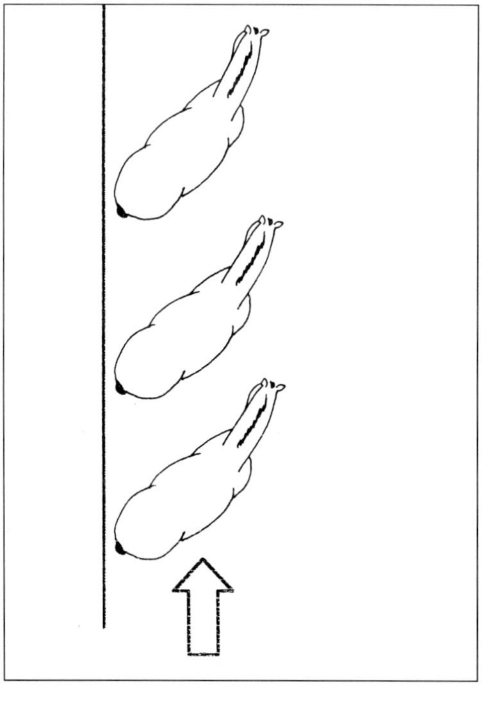

Renvers nach rechts.

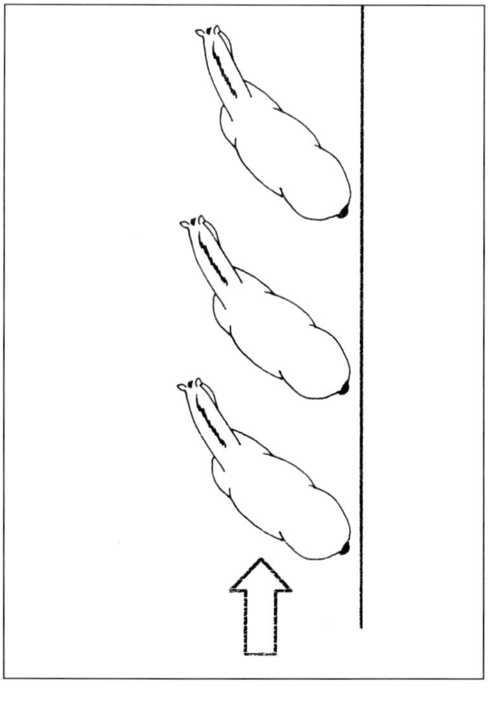

Gewichtshilfen — Das Gewicht wird wie beim Schenkelweichen auf die entgegengesetzte Richtung der Bewegung verlagert. Lassen wir das Pferd nach rechts weichen, verlagern wir das Gewicht nach links.

Schenkelhilfen — Der äußere Schenkel treibt hinter dem Gurt seitwärts, beim Weichen nach rechts treibt der linke Schenkel hinter dem Gurt seitwärts.

Ausführung:
Wollen wir einen Travers rechtsherum ausführen, reiten wir auf der rechten Hand, also im Uhrzeigersinn. Wir schneiden eine Ecke der Bahnbegrenzung ab, heben die rechte Zügelhand und führen sie etwas in die Bewegungsrichtung nach rechts. Die linke Hand wird tiefer gehalten und der Zügel ausreichend lang gelassen, damit sich das Pferd nicht dazu animiert fühlt, den Kopf nach links zu nehmen. Der Zügel liegt am Pferdehals an. Wie beim Zirkelreiten wird der rechte Zügel an den Hals des Pferdes zurückgeführt, um die richtige Halsbiegung zu verstärken. Das Gewicht wird leicht nach links verlagert, und der linke Schenkel treibt hinter dem Gurt seitwärts. Dies fällt um so leichter, je besser das Pferd gymnastiziert ist. Ist das Pferd noch nicht ausreichend gymnastiziert, wird es den Kopf und den Hals nach außen, also nach links nehmen wollen. Wie beim Schulterherein soll auch beim Travers das äußere, also in unserem Beispiel das linke Vorderbein vor dem rechten Vorderbein kreuzen. Dies gilt natürlich entsprechend für die Hinterbeine, allerdings dürfte das Pferd mit dem Setzen seiner Hinterbeine keine Probleme haben.

Der äußere Schenkel kontrolliert somit die Stellung der Hinterhand, in unserem Beispiel bei dem Travers nach rechts, also der linke Schenkel. Die diagonale Hilfe dazu besteht im rechten Zügel, der die passende Stellung der Vorhand kontrolliert. Dazu sei noch einmal angemerkt, daß, sobald das Pferd richtig

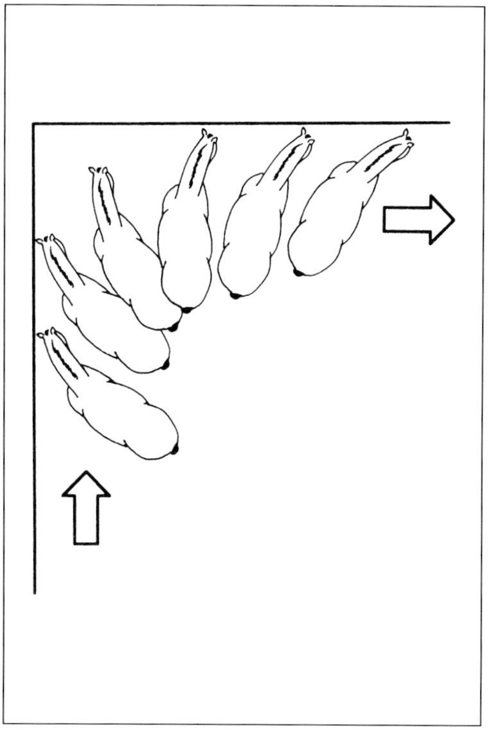

Travers nach rechts durch die Ecke geritten.

Travers auf dem Zirkel geritten.

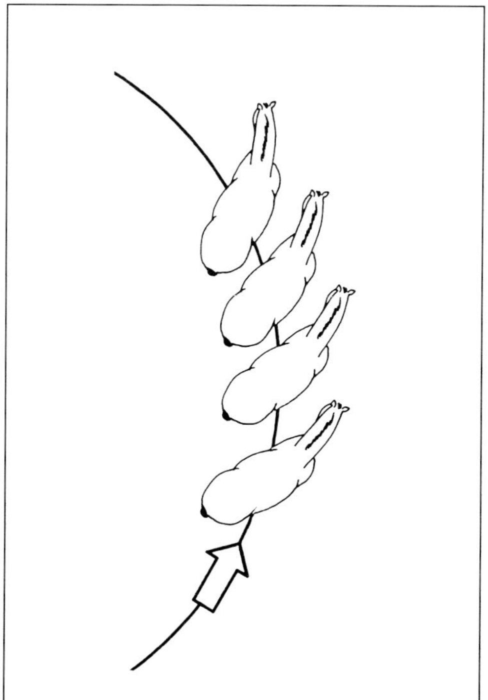

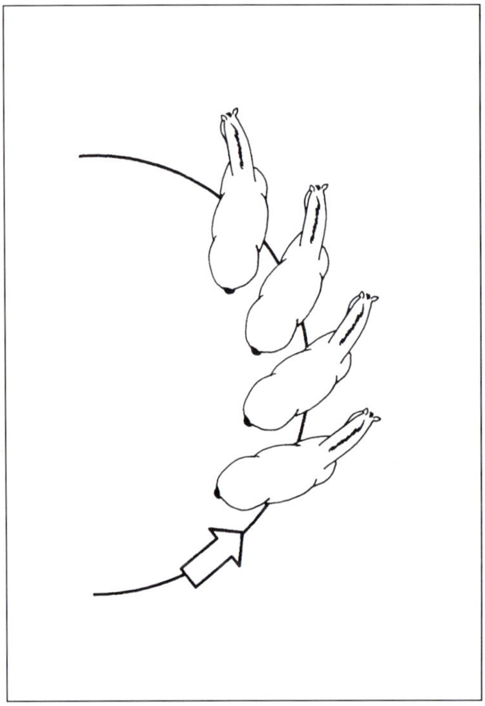

Travers auf der Volte geritten.

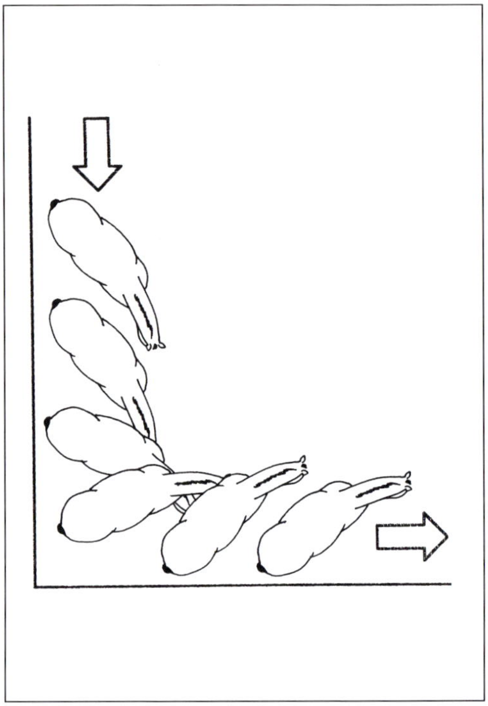

Renvers durch die Ecke geritten.

Renvers auf der Volte geritten.

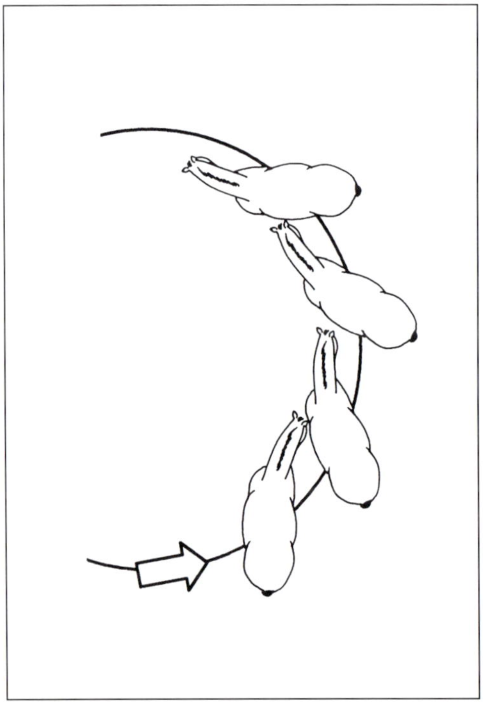

Travers einhändig im Schritt geritten.

gestellt ist, die Zügel sofort nachgelassen werden müssen. Ziel ist, das Pferd am losen Zügel einhändig auch in den Seitengängen richtig gestellt vorstellen zu können.

Korrekturen:
Das Pferd läuft zu wenig vorwärts bei seiner Seitwärtsbewegung. In diesem Fall wird mit dem inneren Schenkel am Gurt vorwärtsgetrieben, die äußere, seitwärtstreibende Schenkelhilfe wird unterlassen, bis genug Vorwärtsbewegung vorhanden ist. Daraufhin bleibt der innere vorwärtstreibende Schenkel weg, und der äußere Schenkel treibt hinter dem Gurt wieder seitwärts. Beim Travers nach rechts würde dies bedeuten, der rechte Schenkel treibt am Gurt vorwärts, ist eine ausreichende Vorwärtsbewegung vorhanden, setzt der linke Schenkel hinter dem Gurt ein und treibt seitwärts, der rechte Schenkel hört dabei auf, nach vorne zu treiben.

Weicht die Hinterhand zu schnell beziehungsweise zu weit und ist damit der Abstellwinkel von 45 Grad nicht mehr gewährleistet, wird mit dem äußeren Schenkel zu stark seitwärts getrieben. Jegliche Hilfen sollen nur so stark wie unbedingt notwendig gegeben werden, damit ein flüssiger Bewegungsablauf zustande kommen kann.

Weicht die Vorhand zu wenig, ist das Pferd meist zu stark in die Bewegungsrichtung gestellt. Inneren Zügel etwas lockerer lassen, äußeren Zügel am Pferdehals anlegen.

Geht das Pferd rückwärts / seitwärts, sind die Zügel zu kurz. Zügel nachgeben, vorwärtstreiben und aus der Vorwärtsbewegung mit den richtigen Hilfen in die Seitwärtsbewegung führen.

Der Travers und der Renvers werden genauso wie das Schenkelweichen und das Schulterherein geübt. Anfangs ein paar Schritte, später eine Länge der Bahn, ist das Pferd ausreichend ausgebildet, auch eine ganze Bahnrunde entlang. Man übt dazu den Travers durch die Ecke. Wird dies richtig beherrscht, wird der Travers auf dem Zirkel und in der Volte geübt. Bevor man den Travers auf der anderen Seite übt, sollte man dem Pferd unbedingt mindestens eine Runde im Jog gönnen, um sich zu entspannen und die Muskulatur zu lockern.

Beherrschen Pferd und Reiter den Travers im Schritt, kann dieser natürlich auch im Trab geübt werden. Wie beim Erlernen im Schritt ist es auch hier am einfachsten, eine Bahnecke richtig anzuschneiden, um direkt in richtiger Stellung in den Travers übergehen zu können. Beherrscht das Pferd dies, fahren wir fort, die Übungen, die wir im Travers im Schritt ausgeführt haben, jetzt im Trab zu vollführen.

Bewährt hat es sich bei Traversübungen, in der Volte in den Mittelpunkt einen Pylonen oder ein Faß zu stellen, damit hat man eine bessere Orientierungsmöglichkeit. Beim Travers in der Volte legen die Vorderbeine einen größeren Weg zurück als die Hinterbeine. Die Vorderbeine müssen folglich stärker kreuzen als die Hinterbeine. Dazu wird der äußere Zügel, in unserem Beispiel beim Travers nach links, also der rechte Zügel stärker an den Hals angelegt, der innere, der linke Zügel etwas weiter vom Pferdehals entfernt, um dem Pferd den nötigen Freiraum zum Übertreten zu geben. Der innere Schenkel muß immer damit rechnen, daß er zwischendrin am Gurt treiben muß, um die Vorwärtsbewegung erhalten zu können.

Traversale
Die gut gerittene Trab- oder auch Galopptraversale ist nicht nur schön anzusehen, sondern ist Mittel zum Zweck, um das Pferd noch weitgehender zu gymnastizieren. Die Traversale setzt ein hohes Maß an Verständigung zwischen Pferd und Reiter voraus, sowie ein gut ausgebildetes und gymnastiziertes Pferd, das willig und durchlässig den Wünschen des Reiters Folge leistet.

Ziel:
Das Pferd geht auf einer gedachten schrägen Linie vorwärts / seitwärts, es ist in die Bewegungsrichtung gestellt, die Vorderbeine führen leicht, die Biegung des Pferdes verläuft parallel zur Bahnbegrenzung.

Hilfen:

Zügelhilfen	Beim einhändigen Reiten wird die Zügelhand zur Ankündigung leicht angehoben und dann etwas in die Bewegungsrichtung geführt. Bei beidhändigem Reiten wird die richtungsweisende Hand angehoben und das Pferd damit in die Bewegungsrichtung geführt, der andere Zügel wird tief gehalten und liegt am Pferdehals an, das Pferd soll dem äußeren Zügel weichen. Der innere Zügel soll später bei der korrekt ausgeführten Traversale innen am Hals anliegen, was die richtige Rundung des Pferdehalses verstärkt, siehe auch Reiten auf dem Zirkel (S. 75).
Gewichtshilfen	Das Gewicht wird wie beim Travers leicht auf die entgegengesetzte Seite der Bewegung verlagert. Lassen wir das Pferd nach rechts weichen, verlagern wir das Gewicht leicht nach links.
Schenkelhilfen	Der äußere Schenkel treibt hinter dem Gurt seitwärts, beim Weichen nach rechts treibt der linke Schenkel hinter dem Gurt seitwärts.

Ausführung:
Geritten wird die Traversale wie der Travers bzw. der Renvers, nur besteht die gedachte Linie, die wir reiten, aus einer Diagonalen durch die Bahn. Um Pferd und Reiter die Traversale zu vereinfachen, reiten wir die Traversale für den Anfang mit gerade gestelltem Pferd. Korrekturmöglichkeiten haben wir mit den Zügel- und den Schenkelhilfen wie beim Travers beschrieben. Kreuzt das Pferd zuverlässig mit dem äußeren Beinpaar vorwärts / seitwärts über das innere Beinpaar, bei der Traversale

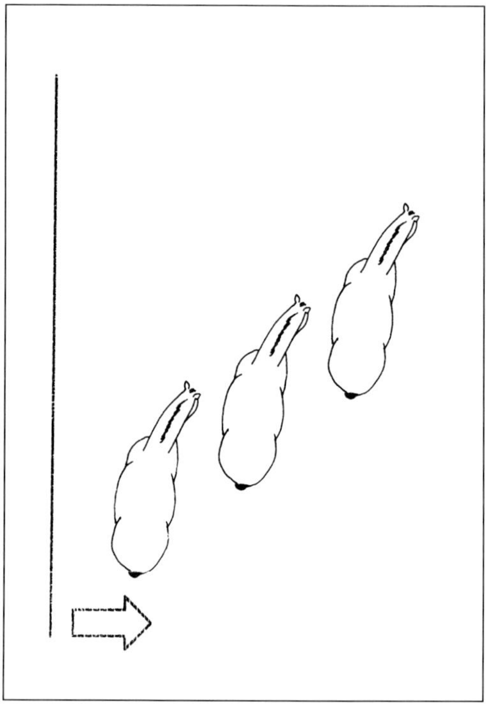

Traversale nach rechts.

nach rechts mit dem linken Beinpaar vorwärts / seitwärts über das rechte Beinpaar und behält dabei die gedachte diagonale Linie bei, beginnen wir das Pferd in die Bewegungsrichtung, also nach rechts zu stellen. Dabei ist das Pferd parallel zur Bahnbegrenzung ausgerichtet, Kopf, Hals und Schultern sind in die Bewegungsrichtung nach rechts gebogen, die Vorderbeine führen.

Den Übergang in die Traversale kann man sich dadurch erleichtern, daß man aus dem Schulterherein durch eine Ecke in die Traversale übergeht. Dadurch ist das Pferd schon richtig gestellt, nur die seitwärtstreibenden Hilfen erfolgen von der anderen Seite, auch die Gewichts- und Zügelhilfen müssen wechseln. Natürlich beginnt man auch hier damit, die Traversale im Schritt zu reiten. Treten hierbei keinerlei Schwierigkeiten mehr auf, können wir dazu übergehen, die Traversale im Trab zu reiten. Das Pferd reagiert mit der Zeit immer sensibler auf die Hilfen des Reiters. Der Reiter sollte immer versuchen, mit so wenig und so leichten Hilfen wie möglich auszukommen.

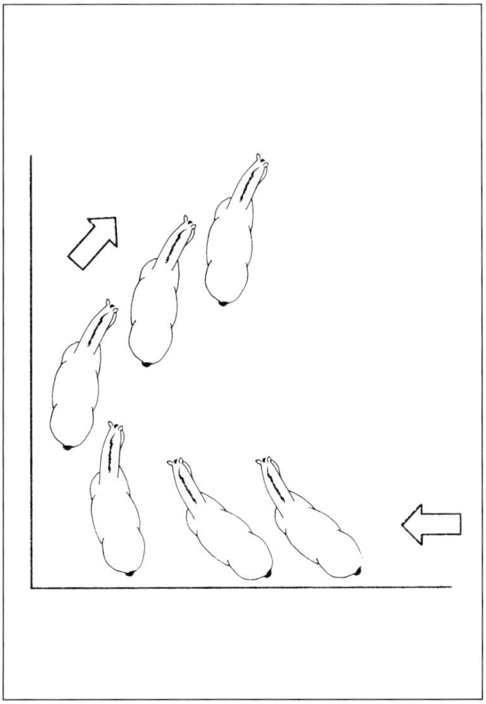

Traversale durch Schulterherein aus der Ecke geritten.

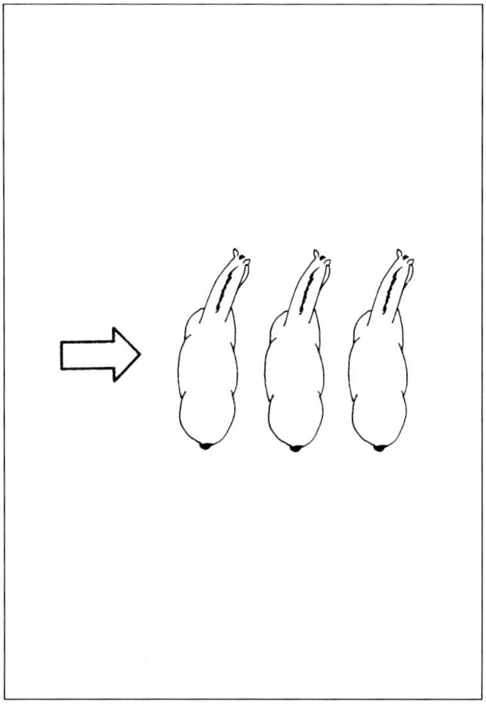

Sidepass nach rechts.

Reagiert das Pferd auf unsere feinen Hilfen und absolviert die Trabtraversalen richtig, gehen wir dazu über und reiten die Traversalen im Zickzack. Beim Umstellen des Pferdes achten wir darauf, daß wir das Pferd erst geraderichten, bevor wir es in die entgegengesetzte Richtung wie bisher stellen. Dies setzt natürlich ein fein reagierendes Pferd voraus und einen Reiter, der keine Schwierigkeiten hat, zum richtigen Zeitpunkt genau die richtigen Hilfen zu geben. Haben wir uns allerdings mit den Seitengängen bisher ausreichend Zeit gelassen, dürfte Pferd wie Reiter sensibel genug reagieren, um auch Zickzack-Traversalen gehen zu können. Sind Pferd und Reiter noch weiter fortgeschritten, kann die Traversale auch im Galopp geritten werden. Die Krönung davon ist dann die Zickzack-Traversale im Galopp, natürlich mit fliegenden Wechseln geritten.

Korrekturen:

Bringt das Pferd auf einer Traversale nach rechts die Hinterhand zu weit nach links, versucht es seine Vorhand zu entlasten und nur noch diagonal zu laufen, statt diagonal zu kreuzen. Zur Korrektur werden verstärkt die Gewichts- wie die seitwärtstreibenden Schenkel eingesetzt.

Eine andere Fehlermöglichkeit besteht darin, daß das Pferd versucht, mit der Hinterhand zu führen, also bei der Traversale nach rechts mit den Hinterbeinen zu weit nach rechts kommt. In diesem Fall werden die seitwärtstreibenden Gewichts- und Schenkelhilfen abgeschwächt und mittels der Zügelhilfen das Pferd deutlicher nach rechts geführt, wie unter Travers beschrieben.

Volltraversale - Sidepass

Der Sidepass ist unentbehrlich bei jedem Trailturnier. Ohne den Sidepass könnten wir kein Tor öffnen oder schließen und viele Stangenübungen nicht ausführen.

Ziel:

Das Pferd geht auf einer gedachten Linie im rechten Winkel seitwärts, kreuzt exakt mit den Beinen wie auch bei den anderen Seitengängen und ist dabei in die Bewegungsrichtung gestellt.

Hilfen:

Zügelhilfen: Beim einhändigen Reiten wird die Zügelhand zur Ankündigung leicht angehoben und dann etwas in die Bewegungsrichtung geführt. Die Zügelhand geht auf keinen Fall nach vorn, sondern hat eher eine leichte Rückwärtstendenz, um das Pferd nicht vorwärtstreten zu lassen.
Bei beidhändigem Reiten wird die richtungsweisende Hand angehoben und das Pferd damit in die Bewegungsrichtung geführt, der andere Zügel wird tief gehalten und liegt am Pferdehals an, das Pferd soll dem äußeren Zügel weichen. Der innere Zügel soll später beim korrekt ausgeführten Travers innen am Hals anliegen, was die richtige Rundung des Pferdehalses verstärkt, siehe auch Reiten auf dem Zirkel (S. 75). Auch hier ist die Tendenz der Handhaltung so verhalten, daß das Pferd beim Seitwärtstreten nicht vorwärts tritt, aber auch nicht rückwärts, sonst würde es nicht mehr exakt überkreuzen.

Gewichtshilfen: Das Gewicht wird wie beim Travers leicht auf die entgegengesetzte Seite der Bewegung verlagert. Lassen wir das Pferd nach rechts weichen, verlagern wir das Gewicht leicht nach links und nach hinten, um dem Pferd zu verdeutlichen, daß wir keine Vorwärtsbewegung haben wollen.

Schenkelhilfen: Der äußere Schenkel treibt hinter dem Gurt seitwärts, beim Weichen nach rechts treibt der linke Schenkel hinter dem Gurt seitwärts.

Ausführung:

Die Volltraversale, also der Sidepass, wird im Prinzip ausgeführt wie die Traversale. Da wir aber beim Sidepass keine Vorwärtsbewegung haben wollen, müssen wir dies dem Pferd verdeutlichen. Das machen wir hauptsächlich damit, daß wir das Gewicht etwas zurück verlagern, besser gesagt, seitlich wie bei der Traversale und etwas zurück, also beim Sidepass nach rechts, verlagern wir das Gewicht nach links / hinten. Reicht dies nicht aus, müssen wir zumindest am Anfang unsere Zügel etwas verhaltend wirken lassen, also etwas annehmen. Das Pferd lernt recht schnell, daß es nur seitwärtsgehen soll und führt dies dann auch bei loser Zügelführung aus. Das Pferd soll dabei wirklich nur seitwärtsgehen und nicht mit der Vorhand führen, wie bei der Traversale.

Korrekturen:

Führt die Vorhand beim Sidepass, verstärken wir die seitwärtstreibenden Schenkelhilfen, damit die Hinterhand weiter übertritt, beim Sidepass nach rechts verstärken wir den linken Schenkeldruck hinter dem Gurt und verkürzen dazu ganz leicht den rechten Zügel.

Führen die Hinterbeine, fällt die Korrektur genau gegensätzlich aus. Wir vermindern die seitwärtstreibende Schenkelhilfe, bremsen die Bewegung ganz leicht mit dem am Gurt angelegten rechten Schenkel ab und legen den linken Zügel stärker an den Pferdehals an, um die Seitwärtsbewegung der Vorhand zu verstärken. Befindet sich das Pferd wieder im 90-Grad-Winkel, reiten wir wieder mit den normalen Hilfen für den Sidepass weiter.

Beim Westernreiten wird die Volltraversale nur im Schritt geritten. Sie ist im allgemeinen verbunden mit irgendwelchen sinnvollen Aufgaben im Trailparcours. So wird der Sidepass über oder vor Stangen geritten, über Heu- oder Strohballen, und natürlich braucht man den Sidepass, um ein Tor öffnen und schließen zu können, ohne das Tor loszulassen.

Exakter Stop auf der Americana 1994. Das Pferd hat seine Hinterbeine weit unter den Körper positioniert und gleitet darauf weiter, mit den Vorderbeinen läuft es gelöst und ausbalanciert und trägt den Kopf entspannt bei loser Zügelführung des Reiters.

Sliding Stop

Der Sliding Stop kann, wird er pferdeschonend ausgeführt, nur unter ganz bestimmten Bedingungen vorgenommen werden. Dazu gehört zum Beispiel der Sliding-Beschlag für die Hinterhufe, der dafür sorgt, daß die Hinterhand des Pferdes beim Stoppen besser gleiten kann, und auch ein entsprechender Untergrund, der zum Sliden geeignet ist, sonst kommt es zu Überlastungserscheinungen der Pferdebeine. Allerdings kann man mit einem Sliding-Beschlag nur sehr begrenzt ins Gelände reiten, dazu ist er zu glatt.

Ziel:

Der Sliding Stop ist ein Anhalten aus dem Galopp. Korrekt ausgeführt, setzt das Pferd die Hinterbeine weit unter den Körper, es stemmt seine Hinterhand nach vorne und gleitet darauf weiter, wobei es mit den Vorderbeinen in Trabschritten mitläuft, völlig gerade und ausbalanciert mit entspannt getragenem Kopf.

Hilfen:

Zügelhilfen	Möglichst keine, außer einem Anheben der Zügelhand beziehungsweise der Zügelhände zur Ankündigung und einem leichten Zurücknehmen der Hand/Hände. Im Training kann man beim beidhändigen Reiten abwechselnd leicht den äußeren und den inneren Zügel annehmen und nachlassen, falls das Pferd nicht ausreichend reagiert.
Gewichtshilfen	Verlagerung des Schwerpunktes nach hinten, verbunden mit einer teilweisen Gewichtsverlagerung in die Steigbügel.
Schenkelhilfen	Vor dem Stop vorwärtstreibende Hilfen, damit das Pferd seine Hinterhand richtig untersetzt, beim Stoppen

Steigbügel etwas durchtreten und leicht nach vorne nehmen. Schenkel leicht weg vom Pferd, die Schenkel müssen das Pferd schon vorher im Run Down geradegestellt haben.

Ausführung:
Prinzipiell gleichen natürlich die Hilfen des Sliding Stops denen des Anhaltens. Vor dem Sliding Stop kommt ein Run Down, den das Pferd absolut gerade absolvieren muß. Ein Pferd kann nur geradegerichtet richtig anhalten, egal ob mit oder ohne Sliden. Am Ende des Run Downs wird das Pferd für wenige Galoppsprünge beschleunigt, ausgelöst durch leichten Schenkeldruck, verbunden mit einem leichten Vorwärtsführen der Hand. Zur Einleitung des Sliding Stops wird die Hand beziehungsweise die Zügelhände leicht angehoben, das Gewicht etwas nach hinten verlagert, vermehrt Gewicht in die Steigbügel gebracht und die Lauthilfe „Who" geäußert. Dies sollte ablaufen, wenn das Pferd die Hinterhand gerade in der Luft hat. Das Pferd zieht darauf die Hinterbeine verstärkt nach vorne zum Bauch und stemmt sie in den Boden. Ist das Pferd gut genug gymnastiziert, wird es sich mit der Vorhand gut ausbalancieren können und mit den Vorderbeinen mittraben.

Korrekturen:
Das Pferd antizipiert den Sliding Stop, das heißt, es will den Stop vorwegnehmen. Wir müssen unbedingt darauf achten, den Stop nicht immer an wenigen gleichen Stellen in der Bahn zu machen. Meistens eignen sich nur wenige Stellen der Reitbahn dafür, und diese kennt das Pferd sehr schnell. Beschleunigen wir das Pferd kurz vor einem solchen Punkt, wird es meinen, gleich einen Stop machen zu müssen. Daraufhin verringert es seinen Schwung, ohne die Hinterbeine richtig unterzusetzen, das heißt, es kommt auf die Vorhand, und ein korrekter Stop wird unmöglich gemacht. Wenn wir merken, daß das Pferd einen Stop antizipieren will, reiten wir es energisch vorwärts, bis es wieder gleichmäßig und ruhig galoppiert. Zu einem für das Pferd unerwarteten Zeitpunkt geben wir die Hilfen für den Stop.

Das Pferd stoppt schräg. Arbeiten Sie am Run Down. Das Pferd muß vor dem Stop absolut geradegerichtet sein. Ist es in irgendeiner Art in seiner Längsachse gebogen, kann es keinen geraden Stop ausführen.

Das Pferd setzt beim Stoppen die Hinterhand nicht richtig unter. Dann trainieren wir die Versammlung beim Pferd. Wir traben häufig an, stoppen, richten rückwärts und traben wieder an. Wir vollführen Turns zur Bande hin, die dafür sorgen, daß das Pferd seinen inneren Hinterfuß mehr unter den Körper nehmen muß und damit vermehrt Gewicht aufnimmt. Wir verstärken die Geschwindigkeit in den einzelnen Gangarten, indem wir die Schenkel am Gurt anlegen und vorwärtstreiben, ohne daß das Pferd in die nächsthöhere Gangart verfällt.

Das Pferd macht sich auf der Vorhand steif und läuft schlecht mit. Meistens kommt dieser Fehler aufgrund von zu stark angenommenen Zügeln. Werden die Zügel beim einhändigen Reiten zu weit verkürzt oder beim beidhändigen Reiten beide Zügel gleichzeitig zu kurz genommen, reißt das Pferd den Kopf hoch, um sich gegen das Gebiß zu wehren. Hals und Vorhand werden angespannt, werden steif und die Vorderbeine fangen den Schwung ab, indem sie ein- oder mehrmals in den Boden gerammt werden, statt mitzulaufen. Dies ist nicht nur unschön, sondern belastet im besonderen die Vorderbeine des Pferdes. Eine andere Möglichkeit ist einfach die, daß das Pferd noch nicht ausreichend gymnastiziert ist für einen richtigen Stop. Also arbeiten wir weiter an der Basis, um es zu lösen, zu entspannen und für unsere Hilfen durchlässig zu machen und verschieben das Stoptraining auf später.

Das gleiche kann mit der Hinterhand passieren. Sie wird zwar in den Boden gestemmt, fängt beim Stop aber an zu hüpfen. Selbstverständlich passiert dies auch, wenn wir auf den

Hinterhufen keinen Sliding-Beschlag haben. Aus diesem Grunde sollten wir keinen Sliding Stop üben wollen, wenn wir keinen Spezialbeschlag haben. Wir verderben damit nur die gute Stopmanier des Pferdes, und es macht das nächste Mal unter Umständen auch mit Beschlag Schwierigkeiten.

Die nächste Möglichkeit liegt an der Beschaffenheit des Untergrundes. Er kann zu tief sein oder zu wenig rutschig. Gerade die Pferde, die ihre Hinterhand immens in den Boden stemmen, haben mit diesem Untergrund Schwierigkeiten. Eine weitere Möglichkeit kann in einem zu starken Sporeneinsatz des Reiters beim Vorwärtstreiben vor dem Stoppen liegen. Das Pferd zieht die Hinterhand zu weit unter den Bauch und verspannt seine Muskulatur. Die Lockerheit des Stops ist damit vorbei.

Run Down

Ziel:
Das Pferd läuft absolut geradeaus,ohne irgendeine Biegung in seiner Längsachse.

Hilfen:

Zügelhilfen	Das Pferd läuft exakt zwischen den Zügeln, egal ob ein- oder beidhändige Zügelführung. Dazu müssen wir selbst völlig im Gleichgewicht sitzen, damit wir unsere Zügelhand/-hände auch absolut mittig halten können. Berührt ein Zügel die Halsseite des Pferdes mehr als die andere, wird es sonst dem Druck leicht ausweichen und schräg laufen.
Gewichtshilfen	Das gleiche gilt für das Gewicht. Sitzen wir selbst nicht im absoluten Balancesitz mit unserem Schwerpunkt über dem des Pferdes, stören wir das Pferd in seinem Gleichgewicht, und es wird eine leichte Gewichtsverlagerung zur Seite hin als richtungsweisende Hilfe auffassen.
Schenkelhilfen	Auch die Schenkel sollen passiv mit kleinem Abstand vom Pferd nach unten hängen. Sie sind nur dazu da, das Pferd zu korrigieren, falls es von sich aus nicht mehr exakt gerade laufen sollte.

Ausführung:
Geradeaus zu reiten ist wesentlich schwieriger, als man sich dies im allgemeinen vorstellt. An der Bande gelingt es am Anfang am ehesten, da das Pferd die Bande als äußere Begrenzung auffaßt und sich an ihr „anlehnt". Pferde besitzen eine gute und eine schlechte Seite zum Reiten. Dies liegt daran, daß die Muskulatur der Seiten unterschiedlich trainiert ist. Nicht anders als beim Menschen, der auch aus speziellen Vorlieben heraus den einen Arm für Kraftarbeiten hernimmt, den anderen für Feinarbeiten. So sind auch die seitlichen Fähigkeiten beim Pferd unterschiedlich ausgeprägt. Gymnastizieren wir ein Pferd richtig, gleicht sich dies im Laufe des Trainings aus, und es wird alle Übungen rechts herum genauso gut absolvieren wie links herum. Dabei sei angemerkt, daß der Grund für dieses Training nicht nur in der korrekten Ausführung von Trainingseinheiten liegt, sondern darin, daß das Pferd durch das Gewicht von Reiter und Ausrüstung einer nicht unerheblichen Belastung unterliegt. In schwierigen Situationen, ob im Gelände oder beim Training, muß das Pferd auf eine ausreichend trainierte Muskulatur zurückgreifen können, um Verletzungen vorzubeugen. Immer reißt das schwächste Glied einer Kette. Bei Verletzungen der Pferde ist meist die Seite betroffen, auf der das Pferd steifer und ungelenkiger läuft.

Als wichtigster Punkt beim Run Down muß das Pferd also ausreichend gymnastiziert werden. Dadurch erlangt es auch die Fähigkeit,

Das Pferd läuft exakt zwischen den Zügeln, eine Grundvoraussetzung für einen guten Run Down.

leicht und durchlässig auf unsere korrigierenden Zügel- und Schenkelhilfen beim Run Down zu reagieren. Die meisten jungen Pferde biegen sich beim Geradeausreiten mitten durch eine Reitbahn abwechselnd nach rechts und nach links, weil ihnen die Begrenzung fehlt. Wir sollten von Anfang an im Training darauf achten, daß wir nicht alle Übungen an der Bande ausführen, damit sich das Pferd nicht zu sehr daran gewöhnt.

Nicht anders als den jungen Pferden geht es auch vielen Reitern. Auch sie pendeln gerne etwas auf dem Pferd hin und her, wenn sie ohne Begrenzung reiten. Helfen kann man sich am besten damit, indem man bei locker und gerade gehaltenem Kopf geradeaus schaut und seinen Blick auf einen Punkt am Ende der Bahn richtet. Genau den Punkt, auf den man zureiten möchte. Man braucht nicht darauf zu achten, wo das Pferd hintritt, sondern blickt locker und gelöst aufs Ziel. Verblüffend, wie gut und einfach dies funktioniert, natürlich nur, wenn kein anderer Reiter unsere Bahn kreuzt.

Tempowechsel - Speed Control

Ziel:
Deutliches Beschleunigen und Verlangsamen innerhalb einer Gangart.

Hilfen:

Zügelhilfen	Zum Beschleunigen nimmt man die Zügelhand/-hände am Mähnenkamm entlang in Richtung der Pferdeohren, zum Verlangsamen in Richtung Widerrist, beides bei losen Zügeln.
Gewichtshilfen	Schwerpunktverlagerung nach vorne zum Beschleunigen, Schwerpunktverlagerung nach hinten zum Verlangsamen.
Schenkelhilfen	Beidseitig angelegte Schenkel am Gurt zum Beschleunigen, ein leichtes Austreten der Bügel nach vorne zum Verlangsamen.

Speed Control mit den richtigen Hilfen zum Beschleunigen. Hände am Mähnenkamm entlang nach vorne, Gewichtsverlagerung ebenso nach vorne, um den eigenen Schwerpunkt nach vorne zu verlagern.

Ausführung:
Der Tempowechsel innerhalb einer Gangart erfolgt hauptsächlich durch die entsprechende Gewichtsverlagerung. Verlagern wir unseren Schwerpunkt nach hinten, wird das Pferd versuchen, ebenfalls seinen Schwerpunkt nach hinten zu verlegen und somit automatisch verlangsamen. Als weitere Verdeutlichung können wir noch die Zügelhilfe dazunehmen. Nehmen wir an, das Pferd läuft wie gewünscht am losen Zügel. Wollen wir das Pferd verlangsamen, bewegen wir die Zügelhände in Richtung Widerrist. Die Zügel sollten dabei so lang sein, daß sie trotzdem nicht anstehen. Die Schenkel geben natürlich keine treibende Hilfe, sondern sie werden eher ganz leicht nach vorne durchgetreten, um etwas Gewicht in die Bügel zu bringen. Beim Beschleunigen erfolgt alles genau umgekehrt. Wir nehmen den Schwerpunkt nach vorne, indem wir den Oberkörper leicht nach vorne neigen und die Zügelhände dem Mähnenkamm entlang etwas in Richtung Pferdeohren führen. Die Zügel berühren den Pferdehals dadurch an unterschiedlichen Stellen, und das Pferd weiß dies nach einiger Zeit sehr wohl zu unterscheiden. Als treibende Schenkelhilfen legen wir beide Unterschenkel leicht am Gurt an. Um dies auch jungen, uner-

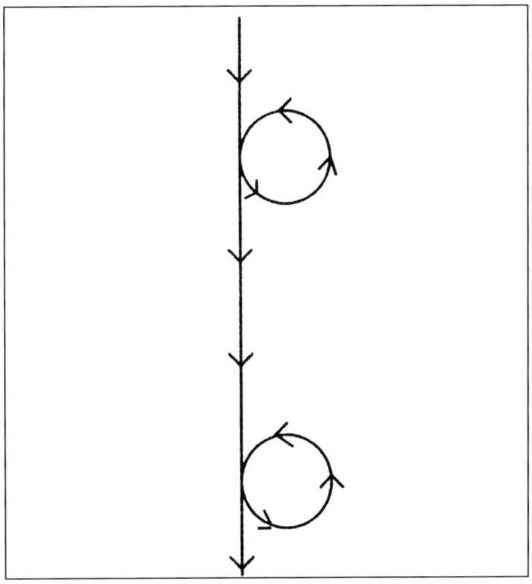

Speed Control mit Volte. Dies ist eine gute Möglichkeit dem Pferd eine gute Speed Control beizubringen. Verlangsamt es auf die entsprechenden Hilfen nicht von sich aus, wird es in eine Volte gelenkt.

fahrenen Pferden beizubringen, muß man nicht unbedingt die Verlangsamung durch Zügelparaden herbeiführen, sondern kann dies völlig ohne Zwang tun. Wir reiten auf der ganzen Bahn eines Reitplatzes mit einem zügigen Tempo und wollen dem Pferd beibringen, auf Gewichts- und oben beschriebene indirekte Zügelhilfen hin seine Geschwindigkeit zu vermindern. Am Anfang probieren wir dies am besten auf einer langen Seite aus. Wir setzen uns tief in den Sattel, verlagern unseren Schwerpunkt deutlich nach hinten und fahren mit der Zügelhand den Mähnenkamm hinab. Am Widerrist angekommen, sollte das Pferd verlangsamt haben. Hat es nicht? Dann fallen wir ihm nicht durch Verkürzen der Zügel ins Maul, sondern reiten einen engen Zirkel / Volte Richtung Bahnmitte. Der Durchmesser des Zirkels muß natürlich dem Ausbildungsstand des Pferdes angemessen sein. Beim jungen Pferd wird er größer sein als beim älteren, erfahrenen Reitpferd. Durch diese Biegung muß das Pferd naturgemäß verlangsamen, sonst kommt es nicht ausbalanciert durch die Kurve. Dann reiten wir wieder geradeaus weiter und probieren das gleiche an einer anderen Stelle wieder. Es ist verblüffend, wie schnell das Pferd lernt, seine Gangart zu verlangsamen, weil es meint, gleich kommt wieder eine Kurve. Verlangsamt das Pferd wie gewünscht schon auf der Geraden, dürfen wir natürlich keinen Zirkel / Volte reiten. Wir machen es ihm als Belohnung bequem und lassen es auf der Geraden langsam weiterlaufen. Dies ist für das Pferd weniger anstrengend, als sich auf einem engen Zirkel ausbalancieren zu müssen.

Solche Geschwindigkeitskontrolle - Speed Control - sollte man natürlich nicht gleich mit einem jungen Pferd und im Galopp ausprobieren. Zuerst sind beim jungen Pferd andere Basisübungen wichtig, und wenn wir endlich mit dem Training der Speed Control beginnen können, werden wir erst einmal im Trab anfangen zu üben. Läuft ein Pferd im Trab zu schnell oder wird überhaupt immer schneller in seinen Gangarten, bringen wir es auf eine Volte, bis es verlangsamt. Trabt es langsamer, lassen wir es als Belohnung geradeaus weitergehen. Beschleunigt es wieder, wenden wir das Pferd erneut auf eine Volte. Es dauert nicht lange, bis auch der schlimmste Raser anfängt, langsamer zu laufen.

Gangartenwechsel

Um vom Schritt in den Trab zu beschleunigen, verlagern wir unseren Schwerpunkt leicht nach vorne, indem wir unseren Oberkörper minimal nach vorne nehmen. Die Zügelhand gibt ganz leicht nach vorne nach, und beide Schenkel treiben am Gurt das Pferd nach vorne. Diese Hilfen, minimal ausgeführt, entlasten den Rücken des Pferdes etwas und es trabt an.

Vom Trab in den Galopp verlagern wir den Schwerpunkt deutlicher nach vorne, entlasten den Pferderücken also stärker, gehen mit der Zügelhand deutlicher nach vorne und geben mit dem äußeren Schenkel weit hinter dem Gurt die Angaloppierhilfe. Wie bei den anderen Gangarten treiben wir auch im Galopp nicht konstant weiter, sondern lassen das Pferd sich selbst ausbalancieren und versuchen, es möglichst wenig dabei zu stören. Nur bei gezielten Korrekturen nehmen wir die Schenkel zuhilfe.

Beim Durchparieren in die langsameren Gangarten geht alles umgedreht vonstatten. Das jeweilige Durchparieren zum Stand ist unter „Anhalten" (S. 65) beschrieben. Wollen wir vom Galopp in den Trab durchparieren, verlagern wir unseren Schwerpunkt ein wenig nach hinten, heben die Zügelhand leicht an und nehmen sie minimal zurück. Sobald das Pferd verlangsamt, begeben wir uns sofort wieder in die Senkrechte, also in den passiven Balancesitz. Wenn wir unseren Schwerpunkt über dem des Pferdes haben, verlangsamt das Pferd nicht weiter. Wollen wir vom Galopp in den Schritt durchparieren, was weniger im Bahntraining als im Gelände auftreten wird, um die Pferdebeine mehr zu schonen, als dies beim Stoppen möglich wäre, erhalten wir diese Hilfen etwas länger aufrecht. Der Reiter wird sehr schnell empfinden, welche Wirkung die

Verlagerung seines Schwerpunktes auf sein Pferd hat.

Gute Übungen für den Tempowechsel sind: Trab - Halten - Trab - Halten - Rückwärts - Halten - Trab - Halten. Dies alles mit genügend Pausen dazwischen, falls sich das Pferd aufregt, und zügig, wenn wir ein Pferd haben, daß wir etwas aufwecken wollen. Je nach Ausbildungsstand von Pferd und Reiter wird das Ganze schwieriger: Trab - Halten - Rückwärts - Halten - Galopp - Halten - Trab - Halten - Rückwärts - Halten - Trab - Halten - Galopp - Trab - Halten.

Die Übergänge sollten dabei möglichst fließend sein und die Hilfengebung so fein und sparsam wie möglich. Durch solche Übungen wird die Feinabstimmung zwischen Pferd und Reiter gefördert und die Durchlässigkeit des Pferdes für die Hilfen des Reiters gesteigert.

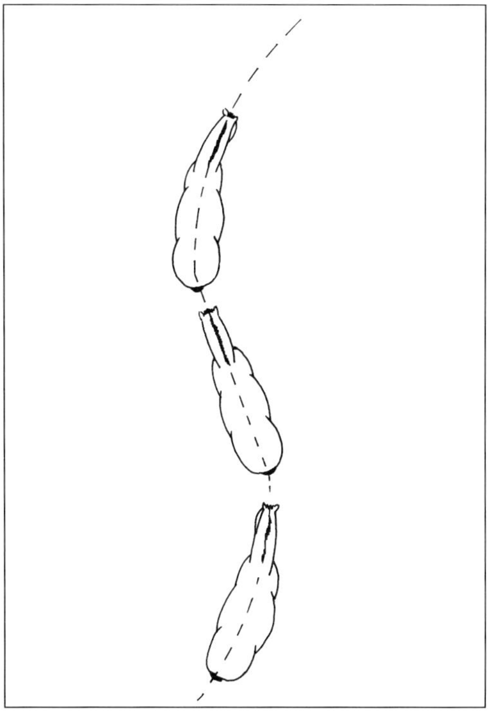

Skizze eines Galoppwechsels.

Galoppwechsel - Lead Changes

Der einfache Galoppwechsel setzt sich aus mehreren anderen Übungen zusammen. Wir reiten einen Galoppzirkel, bis das Pferd ruhig und gleichmäßig galoppiert. Kurz vor dem Mittelpunkt einer Acht stellen wir unser Pferd gerade und halten an. Wir bleiben einen Moment ruhig stehen, reiten ein paar Schritte im Schritt geradeaus, stellen das Pferd in die neue Richtung und galoppieren auf der anderen Hand an. Als nächstes versuchen wir das Pferd aus dem Schritt auf der anderen Hand anzugaloppieren, ohne daß wir es in die gewünschte Richtung stellen. Erst danach, wenn wir wieder auf Zirkelkurs gehen, stellen wir das Pferd auf den Zirkel.

Führt das Pferd diese Übung ruhig aus, reiten wir fast bis zum Mittelpunkt der Acht, stellen das Pferd gerade, stoppen, warten einen Augenblick, um das Pferd nicht zum Antizipieren zu verleiten, und galoppieren auf der anderen Hand wieder an. Diese gedachte Acht muß durchaus nicht durch die ganze Bahn reichen, es ist sogar besser, wenn wir diese Übung an unterschiedlichen Stellen der Reitbahn reiten, damit das Pferd nicht so schnell anfängt zu antizipieren. Allerdings ist es wichtig, darauf zu achten, daß genügend Platz bleibt, um das Pferd vor dem Stoppen geradezurichten.

Normalerweise dürfte dies bei einer ordentlichen Grundausbildung des Pferdes keinerlei Problem bereiten. Worum es hier hauptsächlich geht, ist der fliegende Galoppwechsel, der Flying Lead Change. Jedes Pferd kann naturgemäß den fliegenden Galoppwechsel. Schauen Sie sich einmal ein Fohlen auf der Koppel an, wie leichtfüßig es den Galopp wechselt, wenn es um die Bäume galoppiert. Unter dem Reiter kann nur ein ausreichend gymnastiziertes Pferd, das trotz Reiter im völligen Gleichgewicht geht, auf reiterliche Hilfen hin einen fliegenden Galoppwechsel ausüben.

Ziel:
Der fliegende Galoppwechsel soll auf Wunsch des Reiters hin vom Pferd auf den Galoppsprung genau, mühelos, glatt und ohne Tempoveränderung ausgeführt werden.

Hilfen:

Zügelhilfen	Bei einhändiger Zügelführung wird das Pferd mittels der Zügelhilfe nur dazu veranlaßt, sich auf die andere Richtung richtig umzustellen. Bei beidhändiger Zügelführung ebenso. Die Hilfen für das Zirkelreiten werden einfach seitlich vertauscht.
Gewichtshilfen	Auch das Gewicht wird von einer Seite auf die andere verlagert. Grundsatz sind die Hilfen, welche wir beim Zirkelreiten und beim Angaloppieren anwenden.
Schenkelhilfen	Grundlage hierzu sind die Angaloppierhilfen. Galoppiert das Pferd ruhig auf einem Linkszirkel, benötigt es keine weiteren Schenkelhilfen. Kurz vor dem fliegenden Galoppwechsel wird man leicht die Galoppierhilfen aufnehmen, damit das Pferd darauf vorbereitet wird, verstärkt auf uns zu achten. Im Moment des fliegenden Galoppwechsels schwingt das rechte Bein, bisher weit hinter dem Gurt, nach vorne, und das linke Bein, das vorne war, schwingt weit zurück und übernimmt die Angaloppierhilfe.

Ausführung:

Bevor man fliegende Galoppwechsel üben kann, muß das Pferd zuverlässig im richtigen Galopp anspringen. Der Reiter muß ebenso zuverlässig durch sein Gesäß spüren, ob sich das Pferd im Rechts- oder im Linksgalopp befindet. Sie sollten auch die einzelnen Galoppphasen unterscheiden können, das heißt, Sie müssen jederzeit wissen, welches Pferdebein sich gerade wo unter Ihnen befindet. Das Pferd muß einwandfreie Galoppzirkel laufen können, ohne sich aufzuheizen, es muß Zirkel auch im Galopp vergrößern und verkleinern können.

Galoppwechsel übt man auf einer großen Acht, deren Kreuzungspunkt man geradegestellt reiten sollte. Wir galoppieren auf der linken Hand. Die Zügelhaltung ist weitgehend neutral, der rechte Zügel ist eher etwas angelegt. Der rechte Schenkel ist zurückgenommen und treibt nur, wenn das Pferd das Tempo vermindert. Das linke Bein ist etwas vor dem Gurt und sorgt dafür, daß das Pferd nicht zu weit in den Zirkel hineinläuft. Das Gewicht ist etwas stärker nach außen, also nach rechts verlagert. Am Anfang der mittleren Geraden bereiten wir das Pferd auf ein neues Kommando vor, indem wir die Zügelhand/-hände etwas anheben und dabei etwas mehr Kontakt mit dem Pferdemaul suchen, dabei nehmen wir das Pferd auch mit dem rechten Schenkel leicht auf, ohne es vorwärtszutreiben. Wir lassen das Pferd ein oder zwei Galoppsprünge geradeaus machen, nehmen die Zügelhand/-hände dann leicht nach rechts, damit der linke Zügel anliegt, verlagern unser Gewicht auf die andere Pferdeseite und schwingen gleichzeitig mit beiden Beinen in die entsprechend entgegengesetzte Position. Die Hilfe zum Umspringen, also das Anlegen des linken Schenkels, muß genau in der Schwebephase des Galopps erfolgen, wo die Vorhand im Begriff ist, vom Boden abzuheben. Diese verschiedenen Hilfen erfolgen im Bruchteil einer Sekunde nahezu gleichzeitig. Wir öffnen das Pferd durch unser Umsitzen und den treibenden Schenkel nach rechts, und durch den Schwung des Galopps springt das Pferd in der Schwebephase in die neue Richtung.

Klappt dies nicht zuverlässig, können wir den Galoppwechsel, ähnlich wie beim Angaloppieren, auch von zwei Spuren aus reiten. Wir stellen das Pferd beim Linksgalopp vor dem Wechseln leicht nach rechts.

Das heißt, wir haben rechte Zügel- und Schenkeleinwirkung, nach dem deutlichen

Fliegender Galoppwechsel mit einhändiger Zügelführung. Roger Kupfer beim Tag der offenen Tür auf Gut Wildschwaige 1995.

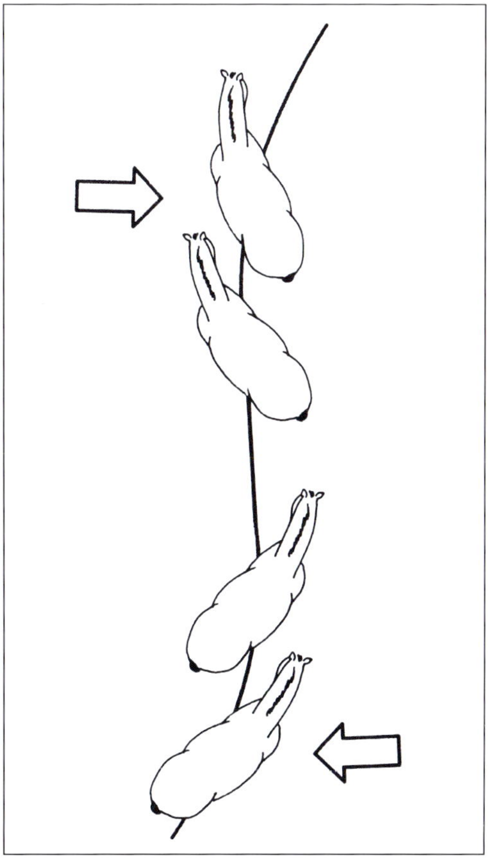

Um dem Pferd den fliegenden Galoppwechsel zu verdeutlichen, können wir auch auf zwei Spuren reiten.

Umschwingen wie beschrieben haben wir die entsprechenden linken Hilfen.

Versuchen Sie nicht, Ihr Pferd, sollte es nicht umspringen, mit aller Macht der Schenkelhilfen, womöglich mit Sporen dazu zu zwingen. Oder es mit übertriebenem Richtungswechsel dazu zu animieren. Dadurch gewöhnt sich das Pferd nur weitere Fehler an. Gehen Sie lieber zurück zur Basisarbeit und gymnastizieren Sie Ihr Pferd richtig. Lassen Sie ein Pferd, das gut wechselt, auch nicht zu viele Wechsel hintereinander machen. Entweder, es heizt sich auf oder es wird sauer.

Macht das Pferd seine Sache gut, sollte man es nicht weiter mit anstrengenden reiterlichen Wünschen nerven, sondern ihm zum Dank eine Ruhepause gönnen.

Korrekturen:
Die Übung, mit der wir versucht haben, das Pferd auf dem Zirkel richtig zu stellen und an den Zügel zu reiten, kann man auch gut zum Verdeutlichen des fliegenden Galoppwechsels verwenden. Wir reiten mit loser beidhändiger Zügelführung auf einem linken Zirkel. Dabei heben wir die linke Zügelhand nach oben an und nehmen die rechte tief. Reiten wir vor dem Wechseln auf der Geraden, halten wir beide Hände gleich hoch und wippen höchstens etwas damit, um das Pferd aufmerksam zu halten. Danach heben wir die rechte Zügelhand und senken die linke ab. Die entsprechenden Gewichts- und Schenkelhilfen bleiben wie beschrieben. Diese Möglichkeit verdeutlicht dem Pferd, was wir von ihm wollen.

Ground Tying des Pferdes und Abliegenlassen des Hundes im Gelände. Im freien Gelände sollte man dies natürlich nur wagen, wenn man sich der Reaktion des Pferdes wirklich sicher ist. Zum Üben sollte man besser in eine umzäunte Reitbahn gehen.

Ground Tying

Das Ground Tying kommt ursprünglich aus den Erfordernissen der Arbeit des Cowboys. Muß ein Rind gefangen oder verarztet, ein Zaun geflickt oder ein Gatter geöffnet werden, steigt der Cowboy ab, läßt den oder die Zügel zu Boden fallen, und das Pferd bleibt stehen. Ein Cowboypferd geht jeden Tag viele Stunden unter dem Sattel und ist für eine Ruhepause dankbar. Es sollte allerdings keiner auf den Gedanken kommen, das Ground Tying als Ersatz des Anbindens seines Pferdes zu sehen. Dafür trägt das Wanderreitpferd wie auch das echte Cowboypferd ein Halfter unter dem Zaumzeug mit einem Führstrick, der meist am Sattel befestigt wird. So kann das Pferd unterwegs jederzeit vernünftig angebunden werden.

Trotzdem ist die Übung des Ground Tyings eine gute Sache. Nicht nur, weil sie manchmal als Element im Trail verlangt wird, sondern weil es dem Pferd ein gewisses Maß an Disziplin abverlangt (manchmal mehr dem Reiter), und so ganz nebenbei haben wir ein Pferd, das beim Putzen, Satteln und ähnlichen Gelegenheiten ruhig dasteht, ohne angebunden zu sein.

Am Anfang üben wir das Ground Tying mit Halfter und Führstrick. Eigentlich sollten wir schon früher bei der Grundausbildung an der Hand darauf bestanden haben, daß das Pferd nicht am Halfter angebunden am Führstrick zieht oder knabbert und sich ständig bewegt, soweit es der Führstrick zuläßt. Pferde verstehen sehr schnell, daß sie auf den Laut „Who" und ein kurzes Zupfen am Führstrick stillstehen sollen. Natürlich sollten wir dies am Anfang nicht allzulange ausdehnen und nicht vergessen, das Pferd ausführlich zu loben. Langsam können wir die Zeit ausdehnen, und so werden wir bald ein Pferd haben, das beim Putzen und Satteln ruhig steht. Nehmen wir einen längeren Strick zuhilfe, können wir den Abstand zum Pferd weiter ausdehnen, bis wir uns einige Meter von ihm entfernen können, ohne daß es sich in Bewegung setzt. Wenn das Pferd zuverlässig steht, kann man das gleiche mit Zaumzeug und Zügeln trainieren. Am besten natürlich immer auf einem umzäumten Grund oder in der Reitbahn. In unserem dicht besiedelten Gebiet kann man kein Risiko eingehen, daß sich das Pferd doch einmal erschreckt und über die nächste Straße rennt. Es ist ein Irrtum zu glauben, jedes Pferd bliebe stehen, wenn es sich aus Versehen auf den Zügel tritt. Abgesehen davon, daß dies sehr schmerzhaft für das Pferd verlaufen kann, gibt es genügend trickreiche Pferde, die lernen, den Kopf zur Seite zu nehmen, und mit hängenden Zügeln durch die Gegend galoppieren.

Auch so zeigt sich das Vertrauen des Pferdes zu seinem Menschen. Um in dieser Situation liegen zu bleiben, muß sich das Pferd völlig sicher fühlen. Hier zu sehen mit Gaby Jacob und ihrem Araber Shujan.

Gelände

Es gibt wohl kaum Reiter, die nicht gerne mit ihrem Pferd ins Gelände ausreiten. Der Freizeitreiter sieht meistens den Hauptzweck seiner Reiterei darin, aber auch der Turnierreiter geht gerne ins Gelände, um sich und das Pferd zu entspannen. Das heißt nicht, daß dazu einfach durchs Gelände getrödelt werden muß, es können eine Menge Übungen wohldurchdacht auch im Gelände ausgeführt werden. Nicht nur Trailaufgaben, sondern auch viele gymnastizierende Übungen.

Da wir aber in der Zwischenzeit in einer recht zivilisierten Welt leben, wo wir meist Straßen zu passieren haben, aber auch eine Vielzahl von Traktoren u. ä., ist ein Geländeausritt im allgemeinen mit mehr Risiken verbunden als ein Training in der Reitbahn. Das Wichtigste bei einem Geländeausritt ist das gegenseitige Vertrauen von Roß und Reiter. Im Frühjahr / Frühsommer, wenn die Sonne wieder höher steht und die Tage länger werden, steigt das Bedürfnis der meisten Reiter nach einem schönen gemütlichen Ausritt. Abends, wenn man von der Arbeit nach Hause kommt, ist es noch hell, die Witterungsbedingungen werden angenehmer, und man kann sich aufs Pferd setzen, ohne sich wie ein Eskimo zu vermummen. Die Natur erwacht zu neuem Leben, und auch der Mensch wird unternehmungslustiger. Ob der Turnierreiter, der beim Training seinem Pferd eine Erholungspause gönnen möchte, oder der Freizeitreiter, der ohnedies zumindest einen Teil seines Trainings ins Gelände verlegt, jeder freut sich, die neu erwachende Kraft der Natur genießen zu können.

Vertrauen Sie Ihrem Pferd derart, daß Sie solch einen Ausritt wirklich genießen können? Oder sind Sie mit all Ihrer Aufmerksamkeit dabei, eventuelle Gefahren zu entdecken und zu versuchen, die entsprechenden Reaktionen Ihres Pferdes im Keime zu ersticken? Sind Sie schon einmal in eine echte Notsituation mit Ihrem Pferd gekommen, in der Sie ihm vertrauen mußten? Leider ist in solchen Situationen meist nicht mehr viel vom vermeintlichen gegenseitigen Vertrauen übrig. Ein Pferd, das in Angst gerät oder sogar in Panik, geht leicht durch und ist zumindest vorübergehend nicht mehr vom Reiter kontrollierbar.

Das gegenseitige Vertrauen ist wichtig. Wie kommen wir nun hierzu? Beim Reiter wie auch beim Pferd geht es in allererster Linie um eine solide Grundausbildung. Ein Reiter, der, ohne sich unnötigen Gefahren auszusetzen, ins Gelände reiten möchte, muß einen unabhängigen Balancesitz beherrschen, damit er auch bei unvermuteten Bewegungen des Pferdes im Gleichgewicht sitzen kann. Dieser Balancesitz muß zügelunabhängig ausgeübt werden kön-

Auch im Gelände kann man das Pferd gymnastizieren, zum Beispiel mit Seitwärtstreten auf einem Feldweg.

nen, damit der Reiter nicht auf den fatalen Gedanken kommt, sich am Zügel festzuhalten. Ein erschreckendes Pferd, das eine unvermutete, schnelle Kopf- / Halsbewegung macht, würde ihn sonst schnell in Schwierigkeiten bringen. Dieses Können gibt dem Reiter ein sicheres Gefühl, falls das Pferd einmal scheuen sollte und dabei unvermutet einen Satz zur Seite macht. Selbstverständlich sollte es sein, daß der Reiter dem Pferd zuverlässig die Bewegungsrichtung vorgeben und seine Tempoart bestimmen kann.

Eine solide Grundausbildung ist natürlich auch für das Pferd vonnöten. Es muß unter dem Reiter im Gleichgewicht gehen können und so ausgebildet sein, daß es den reiterlichen Hilfen bereitwillig und zuverlässig Folge leistet. Ist bei beiden diese solide Grundausbildung vorhanden, gibt es durch die ungewohnte, sich immer wieder verändernde Umgebung immer noch genügend Anlässe, in denen ein Pferd nicht so reagiert, wie wir es eigentlich gerne hätten, beziehungsweise der Reiter in Situationen kommt, denen er sich nicht ganz gewachsen fühlt. So sollte man dafür Sorge tragen, daß die Basis stimmt, auf der aufbauend wir uns und unser Pferd weiterentwickeln können.

Der Mensch, in diesem Falle der Reiter, ist dafür verantwortlich, daß er sein Pferd sicher durch unwegsames Gelände bringt. Er muß die Möglichkeiten seines Pferdes und des Geländes einschätzen können, um kein unnötiges Risiko einzugehen. Wir sind für die Sicherheit des Pferdes und für unsere eigene verantwortlich. Wir sollten es weder zwingen, im Winter über rutschige Eisplatten zu gehen, noch im Sommer durch ausgeprägten Sumpf, von dem wir nicht wissen, wie tiefgründig er ist. Wir dürfen ein Pferd nicht überfordern, egal ob physisch oder psychisch, und es womöglich dann noch bestrafen, wenn es unseren Wünschen nicht Folge leistet. Wir müssen berechenbar und zuverlässig für das Pferd sein. Nur so wird es unsere Leitfunktion anerkennen. Wir können uns das Vertrauen des Pferdes nicht erzwingen, wir können es uns durch unser Verhalten, unsere Zuverlässigkeit nur verdienen. Pferde, die

An der Hand kann man das Pferd auf viele Situationen vorbereiten, die es im Gelände erleben wird. Ist die Rangordnung klargestellt, wird es uns vertrauen.

keine schlechten Erfahrungen mit dem Menschen gemacht haben, fassen schnell Vertrauen zu ihm. Bei anderen, die schon viele schlechte Erfahrungen mit Menschen gemacht haben, kann dies Jahre dauern. Jahre, die viel Einfühlsamkeit und Geduld erfordern. Werden wir ungeduldig und damit auch meist ungerecht, bestätigen wir das Pferd nur in seinem Mißtrauen zum Menschen.

Haben wir uns das Vertrauen des Pferdes verdient, so können wir auch ihm vertrauen. Es wird uns als Leitperson schätzen und unseren Wünschen Folge leisten. Es wird mit uns durch dick und dünn gehen. Allerdings dürfen wir auch nicht vergessen, daß dieses Vertrauen aus einem labilen Gleichgewicht besteht. Einmal verdient, bleibt es nicht ständig vorhanden. Es ist wie in der freien Natur. Macht die Leitstute zu viele Fehler, wird sie von einer anderen abgelöst. Einmal gebildetes Vertrauen sollte unter keinen Umständen zerstört werden. Oftmals passiert dies aus purem Leichtsinn oder Übermut, indem wir uns oder unseren Mitmenschen irgend etwas zu beweisen versuchen, ohne verantwortungsbewußt an die Risiken für unseren Kameraden Pferd zu denken. Wir sollten uns immer unserer Verantwortung dem Pferd gegenüber bewußt sein.

Vor dem ersten Ausritt sollte man das Pferd soweit wie möglich an den Straßenverkehr gewöhnen. Haben wir das Pferd richtig an der Hand ausgebildet, nehmen wir es mit Halfter und Führkette an die Hand und gehen mit ihm spazieren. Natürlich nicht gleich über die nächste Hauptverkehrsstraße. Ist das Pferd richtig ausgebildet worden, erkennt es uns als ranghöher an und wird uns auch im Straßenverkehr vertrauen.

Ein hinreichender Versicherungsschutz für Pferd wie Reiter sollte selbstverständlich sein, nicht nur bei Ausritten, sondern auch, falls Pferde einmal aus dem Stall- oder Koppelgelände ausbrechen sollten.

Bei Geländeritten ist es noch wichtiger als sonst, rechtzeitig den Zustand von Sattel und Zaumzeug zu überprüfen. Ein Lederstück reißt immer erst dann, wenn es besonders beansprucht wird. Dies ist im allgemeinen in kriti-

Als Reiter unterliegt man der Straßenverkehrsordnung, das heißt, man muß auf der rechten Straßenseite reiten. Will man zusammen mit Hunden ausreiten, müssen diese so gut erzogen sein, daß sie dem Pferd bei Fuß folgen.

schen Situationen der Fall. Reitanfänger sollten auf jeden Fall ihren ersten Geländeritt nur unter Führung eines erfahrenen Reiters wagen und mit einem ruhigen geländesicheren Pferd. Bei größeren Reitgruppen ist es unbedingt erforderlich, zur Verständigung innerhalb der Gruppe während des Rittes Handzeichen zu verabreden. Das wichtigste allgemeingültige Zeichen ist die hocherhobene Hand zum Durchparieren. Es sollte natürlich klar vereinbart werden, wer der Reitführer ist, vor allen Dingen bei größeren Gruppen.

Als Reiter haben wir uns nach der Straßenverkehrsordnung zu richten. Das heißt, wir müssen am rechten Fahrbahnrand reiten. Richtungsänderungen auf Straßen und Wegen müssen, wie bei Fahrradfahrern auch, den anderen Verkehrsteilnehmern durch Handzeichen angekündigt werden.

Pferde sind von Natur aus Fluchttiere, und dieser Instinkt wird von ihnen im Gelände wesentlich leichter umgesetzt als in der Reitbahn. Mit einem durchgehenden Pferd kann man in fatale Situationen kommen und sich und andere schwer gefährden. Seien es andere Verkehrsteilnehmer, oder auch Gegenstände wie Zäune, Bäume oder frisch angesäte Felder.

Auch im vertrauten Gelände scheuen Pferde leicht, wenn sich irgend etwas verändert hat. Sie besitzen ein fotografisches Gedächtnis und bemerken jede Veränderung sofort, zum Beispiel gefällte Bäume, Plastikplanen, Futtermieten, farbige Gegenstände und vieles mehr. Besonders gerne scheuen Pferde mitten im Galopp, wobei sie auch sehr gerne auf der Hinterhand kehrt machen, um den Heimweg anzutreten. Es liegt an der Erfahrung und Sattelsicherheit des Reiters, ob das Pferd alleine oder mit Reiter den Heimweg antritt. Auch Brücken und Unterführungen sind meist schwer zu bewältigen, oder Züge, aufspringendes Wild, andere Reiter in der Ferne, freilaufende Pferde auf einer Koppel und Rinderherden. An Viehweiden oder auch Pferdekoppeln sollte man tunlichst langsam im Schritt vorbeireiten. Geraten die Weidetiere in Panik, können sie die Zäune durchbrechen. Scheucht man die Weidetiere auf, bleiben die wenigsten Pferde ruhig.

Pferde besitzen ein wesentlich feineres Wahrnehmungsvermögen als der Mensch. Das Pferd nimmt Spaziergänger oder Wild schon lange vor uns zur Kenntnis. Wenn wir unser Pferd aufmerksam beobachten, stellen wir Veränderungen fest, zum Beispiel verdrehen sich die Ohrenspitzen in eine bestimmte Richtung, eine leichte Anspannung vielleicht, die darauf hindeutet, daß das Pferd irgend etwas Außergewöhnliches wahrnimmt. Deshalb muß das Pferd nicht scheuen, aber es nimmt mehr Dinge wahr als wir, und wir sollten dies rechtzeitig bemerken, damit wir darauf gefaßt sind, falls das Pferd sich doch erschreckt. Ansonsten kann ein Reiter, der sich im Gelände ruhig verhält, eine Menge Wild beobachten, ohne es zu stören. Der Geruch des Pferdes überdeckt den des Menschen. Die Wildtiere schauen die Pferde meist nur verwundert an, aber erschrecken nicht.

Auch auf weichen Wegen darf je nach Witterung nicht einfach munter drauflos getrabt oder galoppiert werden. Tiefe, weiche Wege sind ungeeignet für die Sehnen des Pferdes, die sich dadurch leicht überdehnen können. Außerdem dürfen wir keine Wege nachhaltig beschädigen, was bei feuchter Witterung leicht passieren kann. Selbst barfuß gehende Pferde reißen beim Galoppieren den Boden auf. Vorsicht ist also immer angeraten bei festem, zum Beispiel auch ausgetrocknetem Boden im Sommer, wie auch bei sehr feuchtem, matschigem Boden. Zu achten ist natürlich auch immer auf mögliche Unebenheiten, man sollte die Gangart seines Pferdes darauf abstimmen.

Des weiteren ist die Übersichtlichkeit im Gelände nicht unwichtig. Ein Reiter, der im Galopp auf eine uneinsichtige Wald- oder Wiesenwegkreuzung zufliegt, braucht sich nicht zu wundern, falls ihm überraschend ein Spaziergänger, ein anderes Pferd oder sogar ein Fahrzeug in die Quere kommt. Hier ist immer die Umsichtigkeit des Reiters gefragt. Ebenso ist natürlich immer der Ausbildungsstand von Pferd und Reiter zu berücksichtigen.

Ausgeschilderte Fuß- und Wanderwege sind zu vermeiden, wo dies irgend möglich ist. Nicht nur, daß sich die Fußgänger vor den Pferden erschrecken können, auch wenn sie ordentlich im Schritt vorbeigeritten kommen, mehr oder minder wird die Beschaffenheit des Weges immer durch die Pferdehufe beeinträchtigt. In einem gewissem Ausmaß ist dies vertretbar bei land- und forstwirtschaftlich genutzten Wegen, nicht jedoch bei extra für Wanderer angelegten Pfaden. Dasselbe gilt natürlich auch für angelegte Radwege, dort haben Pferde nichts verloren.

Es sollte selbstverständlich sein, daß nicht querfeldein geritten wird. Bei uns gibt es kein Stück Land, das keinen Besitzer hat. Dieses Besitztum ist von jedermann zu respektieren. Man reitet nicht durch frischgepflügte oder angesäte Felder, auch nicht durch hohe Wiesen. Ja nicht einmal durch niedrige Wiesen. Der Landwirt kultiviert das ganze Jahr über seine Flächen. Er schleppt ab, er walzt die Wiesen, um das Wurzelwerk zu verdichten, abgesehen von Düngen, Mähen usw. Die meisten Landwirte achten peinlichst darauf, daß ihre Wiesen völlig eben sind, Maulwurfshügel werden eingeebnet, ansonsten wird das Mähwerk schnell stumpf und das Heu von Schmutz verunreinigt. Was würden wir dazu sagen, wenn uns der Bauer solch ein Heu verkaufen wollen würde? Auch Böschungen, feuchte Bachläufe, Forstkulturen u.ä. sind zu meiden.

Die Sicherheit für Pferd und Reiter steht weit im Vordergrund. Reiter, die vorwiegend ins Gelände reiten, werden oftmals als Wald- Feld- und Wiesenreiter belächelt. Abgesehen davon, daß man ein Pferd durchaus, zumindest zum Teil, im Gelände gymnastizieren und ordentlich arbeiten kann, ist das Wichtigste, hierbei verantwortungsbewußt vorzugehen. Der Reiter in der Halle, der womöglich sogar als einzig anwesender Reiter trainiert, bringt

Schön ist es, wenn man bei längeren Ausritten einen Anlaufpunkt hat, um Rast zu machen. Hier beim Cowboy Club Old West in Gabelbach bei Augsburg.

sein Pferd höchstens durch Überlastung in Gefahr. Sich selbst unter Umständen durch Stürze. Im Gelände ist die Vielzahl der Gefahren und Unwägbarkeiten immens höher. Hier ist ein bewußter und verantwortungsbereiter Mensch vonnöten, um kein unnötiges Risiko für Mensch und Tier einzugehen.

Ich möchte hier keinem Angst davor machen, mit seinem Pferd ins Gelände zu gehen. Geländereiten soll vor allen Dingen auch zur Entspannung von Pferd und Reiter dienen. Ich möchte nur Bewußtsein schaffen dafür, daß sich ein unerfahrener Reiter nicht einfach ein junges Pferd kauft und damit dann fröhlich durchs Gelände marschiert und sich und seine Mitmenschen gefährdet, auch nicht mit einem Quarter Horse. Auch ein Quarter oder Paint kommen nicht als Westernpferd ausgebildet auf die Welt, auch wenn sie sich in der Ausbildung leichter tun als andere Rassen.

Auch im Gelände muß ein Pferd richtig warmgeritten werden. Das bedeutet, daß zuerst einmal im Schritt geritten wird, dann kann je nach Wegbeschaffenheit ein kleiner Trab eingelegt werden, dann wieder Schritt. Bei Reitgruppen sollte natürlich jede Tempoveränderung angesagt beziehungsweise angezeigt werden. Beim Galoppieren ist auf größere Abstände zu achten, die für ein ordentliches Durchparieren jedes Reiters notwendig sind. Beim Galoppieren soll jeder Reiter in der Gruppe an seinem Platz bleiben und nicht anfangen zu überholen. Veränderungen in der Reihenfolge der Reitgruppe sind im Schritt vorzunehmen. Je nach Fähigkeit des Reiters beziehungsweise des Pferdes soll durchaus jeder einmal vorne und hinten geritten sein.

An Spaziergängern, Radfahrern, auch an anderen Reitern ist grundsätzlich nur im Schritt vorbei zu reiten. Auch auf Förster und Jäger sollte man Rücksicht nehmen. Man mag zur Jagd eingestellt sein wie man will, aber diese Leute gehen auch nur ihrer Arbeit oder ihrem Hobby nach, wie wir auch. Erkennt man, daß ein Hochsitz besetzt ist, weicht man dem Jäger großzügig aus, vielleicht sitzt er schon seit Stunden an, und es wäre nicht verwunderlich, wenn er auf unser Heranreiten dann unwirsch reagieren würde. Wenn es sich vermeiden läßt, sollte man auch nicht unbedingt in der Dämmerung reiten, dies erfreut unsere Jäger ebenfalls nicht. Vielen von uns ist es aber, da sie einer normalen Beschäftigung nachgehen, nicht anders möglich. Kennt man die Gebiete, wo die Jäger meistens ansitzen, sollte man sie besonders bei Dämmerung tunlichst meiden. Wir müssen ja nicht unbedingt am Waldrand entlangreiten, wenn es dunkel wird. Kommen wir, gerade am Abend, dennoch einem Jäger in die Quere, sollten wir ihm ruhig zunicken und ihm nicht quer durch den Wald einen Gutenachtgruß zubrüllen. Man sollte über die entsprechenden Jagdzeiten der Jäger informiert sein, egal ob Jahreszeit oder Uhrzeit, und aufeinander Rücksicht nehmen.

Entgegen der Meinung vieler Reiter ist das Reiten durch Hochwald, über Wiesen oder sogar über ein Stoppelfeld nicht gestattet, außer mit ausdrücklicher Zustimmung des Eigentümers. Verhalten sich die Reiter eines bestimmten Gebietes genügend diszipliniert, wird kein Landwirt etwas dagegen haben, wenn man im Herbst einmal über seine Stoppelfelder galoppiert. Viele stimmen sogar zu, daß man über abgemähte, trockene Wiesen reiten kann. Aber nur solange, wie alle verantwortungsbewußt damit umgehen. Galoppieren die ersten Reiter über eine feuchte Wiese und reißen dabei Löcher in den Boden, wird es mit dieser Erlaubnis für lange Zeit vorbei sein und die Reiter, die lange Zeit verantwortungsbewußt geritten sind, sind die Leidtragenden.

Zu beachten ist auch, daß Stoppelfelder oder andere abgeernteten Felder nicht ungefährlich zu bereiten sind. Ist die Witterung entsprechend trocken, ist der Boden steinhart. Darüber hinaus befinden sich zum Teil gefährliche Löcher im Boden. Bevor man solche Felder in schnellerer Gangart bereiten will, sollte man sich tunlichst im Schritt umsehen, und auch in schnellerer Gangart immer vorausblicken, um auf Unvorhergesehenes reagieren zu können.

Im Winter verwandeln sich manche sonst kaum begehbaren Wege durch den Schnee in gute Galoppstrecken. Bei verschneiter Landschaft sollte man allerdings nur Wege benutzen, deren Beschaffenheit man kennt, da man sonst nicht vor Überraschungen, zum Beispiel Schneewehen, Gräben und ähnlichem, sicher ist. Optimale Wege zeichnen sich durch eine einigermaßen glatte, aber nicht rutschige Oberfläche aus, bedeckt mit einer ausreichenden Schneeauflage.

Die Beschaffenheit des Schnees ist zum Reiten im Winter nicht unwichtig. Ohne Schnee, womöglich bei Dauerfrost, kann man die Pferde aufgrund des harten Bodens nur im Schritt bewegen. Da die Pferde aber gerade im Winter sehr bewegungslustig sind, ist das nicht immer ein leichtes Unterfangen. Auch wenn viel Pulverschnee auf einmal fällt, gibt das keine geeignete Schneeauflage, da die Pferdehufe bis auf den Boden durchsinken und dabei dann entweder auf gefrorenen, oder aber rutschig matschigen Boden aufkommen. Das beste wäre, eine verfestigte Schneedecke zu haben, auf die weiterer Pulverschnee fällt, dann ist eine ausreichende Federung vorhanden.

Beachtet man dies, sind vor allen Dingen unbeschlagene Pferde bei Schnee problemlos zu reiten. Anders sieht es bei Eis aus. Unbeschlagene Pferde haben absolut keinen Halt auf glatten Eisflächen. Im Gelände muß man solchen Eisflächen unbedingt ausweichen. Kommen wir nur über spiegelglatte Straßen ins Gelände, sollte man tunlichst auf einen Ausritt verzichten und sein Pferd lieber im Auslauf lassen, wo es sich auch auf Eis langsam und vorsichtig bewegen kann.

Beim beschlagenen Pferd bilden sich vor allen Dingen bei nassem Schnee schnell Schneeklumpen in den Hufen, sie stollen auf. Bei jedem Auffußen wird Schnee in den Raum zwischen Sohle und Eisen gepreßt, gefriert und bleibt im Huf haften. Der Schneeklumpen wächst immer weiter an, das Pferd fängt an zu stolpern, und die Unfallgefahr ist sehr groß. Sehr gut haben sich hierfür Huf-Grip bewährt, Einlagen, die vom Schmied beim Beschlag angebracht werden. Auf Eis sind auch beschlagene Pferde, tragen sie keine Stollen in den Eisen, sehr rutschgefährdet. In diesem Fall muß man unbedingt Stollen in die Eisen montieren. Verwendet man Hufschuhe, kann man an diese auch spezielle Stollen montieren.

In Deutschland gibt es Bestimmungen zum Reiten in der freien Landschaft, die „Reitwegeverordnung".

Die jeweils zuständigen Landesreiterverbände schicken auf Anfrage die aktuellen Merkblätter der jeweiligen Region zu. Diese Vorschriften sind von Bundesland zu Bundesland recht unterschiedlich. Anzufordern sind diese Unterlagen bei den auf Seite 123 verzeichneten Adressen.

Landesverband der Reit- und Fahrvereine Baden-Württemberg e.V.
Münchingerstraße 19
70438 Stuttgart
Tel. 0711 / 801018
Fax 0711 / 808526

Landesverband der Reit- und Fahrvereine Hamburg e.V.
Friedrich-Ebert-Straße 59
22459 Hamburg
Tel. 040 / 587140
Fax 040 / 585039

Bayrischer Reit- und Fahrverband e.V.
Landshamer Str. 11
81929 München
Tel. 089 / 906071
Fax 089 / 906072

Landesverband der Reit- und Fahrvereine Schleswig-Holstein e.V.
Eutiner Straße 27
23795 Bad Segeberg
Tel. 04551 / 84792
Fax. 04551 / 81797

Landesverband der Reit- und Fahrvereine Berlin-Brandenburg e.V.
Passenheimer Straße 30
14053 Berlin
Tel. 030 / 3053603
Fax 030 / 3046730

Hessischer Reit- und Fahrverband e.V.
Wilhelmstraße 24
35683 Dillenburg
Tel. 02771 / 23055
Fax 02771 / 6203

Bremer Reiterverband e.V.
Posthauser Straße 123
28307 Bremen
Tel. 0421 / 403780

Reiterverband Hannover-Bremen e.V.
Johannssenstraße 10
30159 Hannover
Tel. 0511 / 325768
Fax 0511 / 325759

Verband der Reit- und Fahrvereine Weser-Ems e.V.
Mars La Tour Straße 11
26121 Oldenburg
Tel. 0441 / 882370
Fax 0441 / 83163

Provinzial-Verband westfälischer Reit- und Fahrvereine e.V.
Sudmühlenstraße 33
48157 Münster
Tel. 0251 / 32809-82
Fax 0251 / 32809-66

Landesverband der Reit- und Fahrvereine Rheinland-Pfalz e.V.
Burgenlandstraße 7
55543 Bad Kreuznach
Tel. 0671 / 62810
Fax 0671 / 68351

Thüringer Reit- und Fahrverband e.V.
Anger 55
99084 Erfurt
Tel. 0361 / 51756
Fax 0361 / 21244

Landesverband Pferdesport Sachsen e.V.
Winterbergstraße 98
01237 Dresden
Tel. und Fax 0351 / 334382

Landesverband der Reit- und Fahrvereine Sachsen Anhalt e.V.
Rogätzer Straße 22/30
39106 Magdeburg
Tel. und Fax 0391 / 54168

Am Anfang einer Trainingsstunde muß dem Pferd die Möglichkeit gegeben werden, sich ausreichend zu lösen, damit sich die Muskulatur lockern und langsam aufwärmen kann.

Leichtes Gymnastizieren des Pferdes nach dem Warmreiten. Große Trabzirkel am losen Zügel geritten mit beginnender Versammlung.

BEISPIEL EINER TRAININGSSTUNDE

Lösen des Pferdes

Um das Pferd am Anfang des Trainings zu lösen, bietet sich ein zügiger Schritt in freier Haltung des Pferdes an. Er sollte taktrein sein und in flüssigem Tempo geritten werden, wobei der Reiter außer mit seinem Balancesitz nicht weiter auf das Pferd einwirken sollte.

Um nach kurzer Zeit das Pferd aufmerksamer zu machen, beginnt man in beide Richtungen Zirkel und große Volten zu reiten, dabei versucht man das Pferd mit möglichst geringer Einwirkung zu lenken. Diese Phase dient immer noch der Lockerung und dem Aufmerksammachen des Pferdes.

Merkt man, daß sich das Pferd völlig gelöst hat und entspannt läuft, auch keine Widersetzlichkeiten erkennbar sind, beginnt man mit der Gymnastizierung im Trab.

Gymnastizieren des Pferdes

Man beginnt große Trabzirkel zu reiten und versucht das Pferd mit losen Zügeln an die Hand zu reiten. Tritt das Pferd nicht ausreichend unter, absolvieren wir die ersten Turns in Richtung Bande. Dadurch haben wir auch die Möglichkeit, genügend Handwechsel auszuführen. Der Turn animiert das Pferd dazu, seinen inneren Hinterfuß vermehrt unter den Körper zu nehmen, und dadurch nimmt er vermehrt Gewicht auf. Als Abwechslung und zur Gymnastizierung gehen wir zwischenzeitlich wieder in den Schritt und beginnen mit Seitengängen, ausgeführt je nach Ausbildungsstand des Pferdes. Dadurch wird die Muskulatur des Pferdes weiter gelockert und gedehnt. Danach traben wir wieder auf Zirkeln und Achter. Bietet das Pferd von sich aus Galopp an, galoppieren wir ein paar große Zirkel in jede Richtung.

Haben wir ein temperamentvolles Pferd, das dazu neigt, stürmisch zu werden, galoppieren wir es auf großen Zirkeln, bis es in beide Rich-

Versammeltes Pferd zur Gymnastizierung auf dem Zirkel geritten.

tungen ruhig und gelöst läuft. Danach vollführen wir das gleiche im Trab. Wir vermeiden viele Tempowechsel und üben nur wenige Wendungen aus.

Haben wir ein Pferd, das wir aufwecken wollen, reiten wir verstärkt Tempowechsel und Wendungen mit ihm, abwechseln je nach Ausbildungsstand. Trab, Stop, Rückwärts, Stop, Galopp, Stop, Galopp, Stop, Rückwärts, Stop, Trab, Stop, Turn, etc. Allerdings wollen wir das Pferd nur aufwecken und nicht sauer trainieren. Mit der Zeit entwickelt man das richtige Gespür dafür, welches Pferd wie reagiert.

Versammlung des Pferdes

Nun sollten wir ein gelöstes, lockeres Pferd besitzen, bereit zur Mitarbeit, nicht zu schnell und nicht zu langsam. Wir wollen weiter an einer guten Basis arbeiten und gymnastizieren es, um es zu einer höheren, aber freien Versammlung zu bekommen. Dazu eignen sich im besonderen die Seitengänge. Je nach Ausbildungsstand werden wir mit einem jungen Pferd das Schenkelweichen üben, natürlich nicht zu lange, sondern unterbrochen von großen, lockeren Trabzirkeln. Zur Gymnastizierung lassen sich auch vermehrt Turns einsetzen. Darüber hinaus beginnen wir die Zirkel mit einem kleineren Durchmesser zu reiten bei gleicher korrekter Stellung des Pferdes. Auch werden wir beim Zirkelreiten immer wieder den Zirkel vergrößern / verkleinern, um das Pferd sensibel auf unsere Seitwärtshilfen zu machen.

Fortgeschrittenere Pferde und Reiter fangen mit dem Schulterherein an, traben dazwischen ein paar Runden und gehen zum Travers, zur Traversale und / oder zum Renvers, je nach Ausbildungsstand über. Die Dauer dieser Übungen ist natürlich von der Kondition des Pferdes wie auch des Reiters abhängig. Im Zweifelsfall sollte man lieber etwas früher aufhören, bevor es beim Menschen und / oder Pferd einen Muskelkater gibt und keinen Spaß

Richtig gestelltes Pferd auf einer Volte geritten.

mehr macht. Mit dem weiter ausgebildeten Pferd üben wir weniger Wendungen, sondern mehr Seitengänge, da diese die Gymnastizierung und Selbsthaltung des Pferdes verbessern. Das Pferd wird dadurch immer durchlässiger für unsere Hilfen. Die Wendungen gelingen auf dieser Grundlage immer.

Spezialtraining

Mit dem jungen Pferd werden wir seinen Anlagen und seiner Ausbildung gemäß einige Dinge üben, ruhige Galoppzirkel, oder kleinere Galoppzirkel in guter Haltung, eventuell einfache Galoppwechsel. Wir können es auf bestimmte Übungen der Reining vorbereiten. Zum Beispiel angaloppieren, Stop, rückwärts, angaloppieren.

Beim ausgebildeten Pferd werden wir zielgerichtet einige Spezialübungen trainieren. Seien es einige Reiningelemente wie Speed Control oder fliegende Galoppwechsel. Wir üben allerdings niemals zu viele unterschiedliche Sachen hintereinander. Wir reiten nicht, um das Pferd zu bestrafen, sondern um ihm ein positives Feedback geben zu können. Macht das Pferd ein oder zwei wirklich gute Galoppwechsel, hört man auf zu wechseln, bleibt stehen oder geht in den Schritt über und gönnt ihm eine Ruhepause. Wir können auch an der gewünschten Haltung eines Pleasurepferdes arbeiten. Zeitmäßig braucht dieses Spezialtraining nur wenige Minuten in Anspruch zu nehmen. Wir verwenden mehr Zeit auf die Basisarbeit, um das Pferd richtig zu gymnastizieren, um es durchlässig für unsere Hilfen zu machen, dann ergibt sich die richtige Ausführung der Übungen wie von selbst.

Ausklang

Der Ausklang läuft ähnlich ab wie das Lösen des Pferdes. Das Pferd besitzt allerdings jetzt eine aufgewärmte, elastische Muskulatur. Wir reiten ruhig und langsam und bauen mehr Dehnübungen ein als am Anfang. Dies streckt die Muskulatur, hält sie elastisch und beugt einem eventuellen Muskelkater vor. Ruhiger Schritt und Schenkelweichen sind hier angebracht.

Tips

Dauer
Die Reitdauer hängt vom einzelnen Pferd ab, wie auch von der spezifischen Arbeit mit dem Pferd. Mache ich einen ruhigen Geländeausritt, während dem ich einiges trainieren kann, wird dieser wesentlich mehr Zeit erfordern, als wenn ich ein kurzes spezifisches Training in der Bahn abhalte, das dazu dient, ganz spezielle Lektionen korrekt ausführen zu lassen. Man darf weder bei dem einen noch bei dem anderen sein Pferd physisch oder psychisch überfordern.
In der Reitbahn wird ein Trainer kaum länger als 30 Minuten mit dem Pferd arbeiten. Ein Reitschüler / Pferdebesitzer kann diese Zeit durchaus auf 45 Minuten ausdehnen. Längere Zeiten sollte man vermeiden, um dem Pferd nicht die Freude an der Arbeit zu nehmen.

Intensität
Wesentlich ist bei der Reitdauer, daß man sein Pferd nicht nur bewegt, sondern richtig arbeitet. Es soll richtig gymnastiziert werden, damit es spezielle Übungen, wie zum Beispiel Reininglektionen, richtig ausführen kann. Allerdings muß man sich auch davor hüten, das Pferd zu überarbeiten. Von körperlichen Schäden abgesehen, bringt das Pferd sonst keine Lust mehr auf, freudevoll zu arbeiten. Es hat keinen Willen, Leistung zu vollbringen, wenn wir es physisch oder psychisch zu sehr belasten. Besonders anstrengend für Pferde sind schnelle Stops, Roll Backs oder Spins, ebenso langes schnelles Galoppieren. Das Pferd muß alt genug sein und die richtige Kondition haben, damit Sehnen, Bänder und Gelenke der Belastung standhalten. Auch psychisch muß ein Pferd ausgereift genug sein, um dementsprechend trainiert zu werden.

Das bedeutet, daß die Art des Trainings passend für den Zustand des Pferdes ausgesucht werden muß. Diese Art des Trainings ist dann kurz und intensiv zu gestalten. Das kann für ein junges Pferd bedeuten, Zirkelarbeit richtig gestellt und Schenkelweichen, für ein älteres, schon besser ausgebildetes Pferd kann dies heißen, korrekte Galoppwechsel und Roll Backs zu üben.

Abwechslung
Man sollte an dem arbeiten, was nötig ist, aber die ganze Arbeit abwechslungsreich gestalten. Das bedeutet nicht, daß wir in jeder Trainingseinheit alle Übungen, die das Pferd mehr oder weniger beherrscht, herunterspulen, sondern daß wir uns Variationen von wenigen Übungen einfallen lassen. Zum Beispiel Schenkelweichen, normal gerittene Volte, Schenkelweichen. Auch wenn das Pferd fortgeschrittene Lektionen beherrscht, werden wir auch viele einfache Lektionen mit ihm üben, die wir abwechslungsreich kombinieren.

Motivation
Eine sehr wichtige Sache ist, dem Pferd Spaß an der Arbeit zu vermitteln und diese Freude zu erhalten. Dazu gehört vor allen Dingen ein positives Feedback. Loben als solches wird jedermann bekannt sein. Es gibt jedoch noch mehr Möglichkeiten. Man gestaltet die Ausführung einer erwünschten Reaktion positiv, das heißt bequem für das Pferd, eine unerwünschte negativ, beziehungsweise unbequem. Auch Pferde gehen auf Dauer den Weg des geringeren Widerstandes. Absolviert das Pferd den von mir erwünschten Seitengang korrekt, werde ich als Belohnung nicht gleich mit einer schwierigeren Aufgabe beginnen, sondern ich werde ihm eine Runde im Schritt oder Jog gönnen. Ich kann ihm auch eine Pause gönnen und es ruhig ein paar Minuten stehen lassen. Dies ist allerdings vom Temperament eines Pferdes abhängig. Für ein temperamentvolles Pferd bedeutet eine Pause nicht unbedingt eine Erholung, sondern gehört zum Ausbildungsprogramm. Ein sehr ruhiges Pferd hingegen wird froh über die Pause sein und möchte als Belohnung keinen, wenn auch ruhig gerittenen, Galoppzirkel gehen.

Sehr wichtig ist es, immer einen positiven Abschluß für das Pferd und auch für den Reiter zu finden. Gelingt eine Übung nach mehrmali-

Bei den einhändig gerittenen Seitengängen merken wir schnell, wie folgsam unser Pferd unseren Wünschen Folge leistet.

gem Anlauf nicht, sollte man sich überlegen, woran es liegt und zur Basisarbeit zurückkehren. Das Pferd hat durchaus einmal einen schlechten Tag, genauso wie der Reiter. Es hat keinen Zweck, mit aller Macht diese Lektion zu Ende bringen zu wollen, das verdirbt Pferd wie Reiter den Spaß an der Arbeit. Man kehrt lieber zu einer einfacheren Basisübung zurück und läßt diese vom Pferd korrekt ausführen. Somit hat man die Möglichkeit, das Pferd zu loben und die Trainingsarbeit in positiver Stimmung zu beenden.

Öffnen des Tores nach der beschriebenen Methode 2. Man stellt das Pferd parallel zum Riegel, öffnet und zieht das Tor auf, während man das Pferd seitwärts treten läßt. (Americana 1994)

TRAILHINDERNISSE

Wippe

Die Mindestmaße einer Wippe betragen 90 cm mal 2,50 m. Die Wippe wird schnurgerade angeritten, das Pferd wird zwischen Schenkeln und Zügeln gerade gehalten. Die Wippe wird am besten in der Mitte überritten, damit die Möglichkeit, daß das Pferd daneben tritt, möglichst klein ist. Das Pferd soll die Wippe ruhig und gelassen, Schritt für Schritt überwinden. Ein gut ausgebildetes Pferd kann man auf der Wippe nach jedem Schritt ruhig stehen lassen und nach Aufforderung einen weiteren Schritt nach vorne und auch zurück machen lassen. Es kann dabei sogar auf der Wippe stehend, durch Gewichtsverlagerung anfangen zu schaukeln. Manchen Pferden macht dies sichtlich Spaß.

Tor

Ein zu durchreitendes Tor muß eine Mindestbreite von 2,50 m aufweisen. Es gibt zwei gebräuchliche Methoden, ein Tor zu öffnen und zu durchreiten.

Methode 1:
Vorwärts durchs Tor. Die Hinterhand des Pferdes muß parallel zum Tor in Richtung zu den Torangeln stehen. Man stellt das Pferd so neben das Tor, daß man den Riegel des Tores bequem vom Pferd aus erreichen kann. Dann stößt man das Tor auf, ohne es loszulassen und läßt dabei das Pferd seitwärts treten. Ist das Tor weit genug offen, geht das Pferd darum herum, wobei der Reiter das Tor aber im Griff behält.

Öffnen des Tores nach der beschriebenen Methode 2. Das Pferd tritt gerade um das Tor herum, ohne daß der Reiter das Tor losläßt. (Americana 1994)

Öffnen des Tores nach der beschriebenen Methode 2. Der Reiter läßt das Pferd wieder seitwärts treten, um dann das Tor zu schließen. (Americana 1994)

Walk Over im Trab. Das Pferd soll ruhig über die Stangen treten, ohne sie zu berühren.

Das Pferd läßt man soweit um das Tor treten, bis es wieder parallel dazu (auf der anderen Seite) steht. Nun läßt man das Pferd wieder seitwärts treten und schließt das Tor.

Methode 2:
Schwieriger ist es, rückwärts durch das Tor zu gehen. Erreicht man das Tor, stellt man das Pferd wieder parallel zum Riegel, der Schenkel des Pferdes sollte ungefähr auf Höhe des Riegels sein. Dieses Mal blickt das Gesicht des Reiters zu den Angeln. Nun zieht der Reiter das Tor auf, indem er das Pferd seitwärts treten läßt. Ist das Tor weit genug auf, geht das Pferd rückwärts um das Tor herum. Der Reiter hält das Tor dabei fest und steht dann auf der anderen Seite wieder parallel zum Tor und zieht es zu, wobei das Pferd wieder seitwärts tritt (vgl. Abb. Seite 129/130).

Das Pferd wird parallel zum Tor angehalten, so daß man den Überlegbügel des Tores ohne große Verrenkungen des Oberkörpers ergreifen kann. Bei zu starker Gewichtsverlagerung passiert es sonst leicht, daß das Pferd dadurch vom Tor weg tritt. Man legt den Bügel des Tores zurück, anschließend läßt man das Pferd, ohne das Tor loszulassen, einen Sidepass ausführen, bis das Tor geöffnet ist, am Tor gerade einige Schritte zurücktreten, anhalten, Wendung auf der Vorhand, dabei Durchreiten des offenen Tores, ohne das Tor loszulassen, und Schließen auf der anderen Seite durch Sidepass.

Stangen-Walk Over

Treten über mindestens vier Stangen, die im Schritt einen Abstand von 40 bis 60 cm aufweisen. Die Stangen können gerade, im Bogen oder Zickzack liegen. Sollen die Stangen im Trab überritten werden, müssen sie im Abstand von 90 bis 105 cm liegen, im Galopp 180 bis 210 cm.

Stangen-L

Ein Stangen-L muß eine Durchgangsbreite von mindestens einem Meter besitzen, die Länge der Schenkel drei bis vier Meter. Man durchreitet das Stangen-L ruhig und gelassen bis zum Ende. Dort hält man an und richtet das Pferd rückwärts durch das L. Dabei sollte man sich nur nach einer Seite orientieren, um das Pferd nicht durch ständige Gewichtsverlagerungen zu verwirren. Das Pferd langsam, gerade Schritt für Schritt zurücktreten lassen. Im Winkel des L´s vollführen wir eine Vorhandwendung und lassen das Pferd ruhig zurücktreten. Man kann auch kurze Pausen einlegen, damit das Pferd nicht anfängt, nach hinten zu drängen und sich damit den reiterlichen Hilfen zu entziehen versucht. Ein Stangen-L eignet sich auch gut für Sidepass-Übungen.

Rückwärtsrichten um Pylone oder Stangen

Das Pferd soll auf einem vorgeschriebenen Kurs rückwärts um aufgestellte Pylonen geritten werden. Auch hier muß das Pferd sensibel auf die Schenkel- und Zügelhilfen des Reiters reagieren.

Sidepass

Der Sidepass kann über Stangen, Baumstämme oder ähnliche Hindernisse ausgeführt werden. Das Pferd überquert das Hindernis seitlich, ohne Vorwärtstendenz und ohne die Stangen zu berühren. Näheres zu den Hilfen ist unter dem Kapitel Übungen - Sidepass (S. 103) beschrieben.

Klappersack

Der Klappersack ist ein mit leeren Blechdosen oder anderem klapperndem Gerät gefüllter Sack. Der Sack liegt meist auf einer Tonne. Er wird mit der Hand des Reiters aufgenommen

Transport eines Klappersackes.

Ground Tying, das Pferd bleibt ungerührt an seinem Platz stehen.

und auf einer anderen Tonne wieder abgelegt. Es kann auch gefordert werden, den Sack ein paar Meter an einem Strick hinter sich herzuziehen. Das Pferd hat dabei keinerlei Zeichen der Beunruhigung zu zeigen.

Ground Tying

Beim Ground Tying ist das Absitzen an einer bestimmten Stelle gefordert, der Reiter läßt einen Zügel auf den Boden hängen und entfernt sich vom Pferd. Das Pferd muß dabei wie angewachsen auf seinem Platz stehen bleiben. Näheres zur Ausführung unter dem Kapitel Übungen - Ground Tying (S. 144). Das Ground Tying ist also eine Gehorsamsübung.

Überqueren einer Plastikplane.

Sidepass über Stangen.

Der Phantasie im Aufbau eines Trailparcours sind keine Grenzen gesetzt. Es eignen sich die unterschiedlichsten Gegenstände dazu, um von einem Ort zum anderen transportiert zu werden, allerdings sollte man dabei nicht die Zügel zu Boden hängen lassen.

Das Stangen-U kann auf vielfältige Weise durchritten werden. Wobei der Kurs auf dem Turnier natürlich vorgegeben ist. Hier eine Hinterhandwendung.

Plastikplane

An irgendeiner Stelle des Trailparcours wird oftmals das Überqueren einer Plastikplane gefordert. Das Pferd hat diese, ohne zu zögern und ohne die vorgeschriebene Geschwindigkeit zu vermindern, zu überqueren.

Flatterbänder

Hier wird ein Vorhang mit „Rasierbändern" durchritten. Das Pferd hat vertrauensvoll seinem Reiter Folge zu leisten ohne Anzeichen von Furcht.

Transportieren von Gegenständen

Als weitere Aufgabe kann man unterschiedlichste Gegenstände von einem Punkt zum anderen transportieren lassen.

Stangen-U und Stangen-T

Das Stangen-U sowie auch das Stangen-T können durch Vorwärts-, Rückwärts- und Seitwärtstreten passiert werden. Erforderlich ist der Sidepass, das Rückwärtstreten und die Vorhandwendung. Auf dem Turnier sind die Aufgaben natürlich vorgeschrieben.

VERBÄNDE

Erste Westernreiter Union Deutschland (EWU).
Mit ca. 6.600 Mitgliedern (1995) ist die Erste Westernreiter Union Deutschland (EWU) inzwischen der größte Westernreitverband Deutschlands. Die EWU vertritt die Interessen der Western- und Freizeitreiter auf Westernbasis.
Die EWU wurde 1978 als Verein gegründet. Gründungsmitglieder waren Horst Geier, Klaus Ditzig, Karin Ditzig, Hardy Baumann, Horst Hoemke, Dr. Jochen Risse und Uwe Pauls. Die EWU war damals der erste organisatorische Zusammenschluß der Westernreiter in Deutschland und nannte sich damals: „Europäische Westernpferde und -reiter Union".
Mit den Jahren etablierten sich Regionalgruppen, es gab eine eigene Verbandszeitschrift, und 1980 lag das erste eigene Regelbuch vor. 1982 wurde die EWU in die „Erste Westernreiter Union Deutschland e.V." umbenannt. Ziel der EWU ist es, die Westernreitweise zu fördern, zum Beispiel durch ihre Repräsentation auf Messen, durch die entsprechende Medienarbeit, durch die Zusammenarbeit mit anderen Verbänden, aber auch durch die Ausrichtung einer Vielzahl von Turnieren. Darüber hinaus bildet die EWU eigene Richter aus und überarbeitet jährlich das aktuelle Regelbuch.
Der große Unterschied zu anderen Verbänden besteht darin, daß auf EWU-Turnieren Pferde aller Rassen startberechtigt sind, ja sogar ohne bekannte Abstammung. Speziell auch für Westernreitanfänger, die sogenannten Einsteiger, werden verschiedene eigene Klassen mit leichteren Prüfungen auf Turnieren durchgeführt. An großen Veranstaltungen werden die German Open mit den Deutschen Meisterschaften im Westernreiten wie auch die Americana, beide alle zwei Jahre im Wechsel ausgetragen. Ansonsten gibt es noch eine Vielzahl von Meisterschaften, wie zum Beispiel die Deutsche Mannschaftsmeisterschaft und die Regionalgruppenmeisterschaften.
Die EWU ist seit April 1993 Anschlußverband der Deutschen Reiterlichen Vereinigung (FN). Als eigenständiger Verein vertritt die EWU innerhalb der FN die Interessen der Westernreiter.

Geschäftsstelle der EWU:
EWU
Wallenbrücker Straße 24
49328 Melle
Tel. 05226 / 18144
Fax 05226 / 18344

Deutsche Quarter Horse Association (DQHA)
Die Deutsche Quarter Horse Association wurde 1975 gegründet und ist seit 1980 ein eingetragener Verein. Darüber hinaus wurde die DQHA 1992 staatlich bundesweit anerkannter Zuchtverband in Deutschland. Der Zuchtverband der DQHA ist ein Zusammenschluß von Züchtern, die sich in einer Zuchtbuchordnung ein bestimmtes Programm gegeben haben, mit der Zielsetzung, diese Pferderasse mittels Zucht weiter zu sichern und zu verbessern.
1992 hat sich die Mitgliederzahl der DQHA verdoppelt auf damals 1.900 Mitglieder. 1994 wurde schon die Marke von 3.000 Mitgliedern überschritten, 1995 stieg die Anzahl auf über 5.000. Über 10.000 Quarter Horses sind in deutschem Besitz.

Geschäftsstelle der DQHA:
DQHA
Landstraße 7
63939 Wörth am Main
Te. 09372 / 5031
Fax 09372 / 5033

Paint Horse Club Germany (PHCG)
Der Paint Horse Club Germany wurde 1983 gegründet und ist ein Interessenverband von Züchtern und Liebhabern von Paint Horses. Er ist der anerkannte Regionalverband der American Paint Horse Association für Deutschland,

als solcher ist er der einzige autorisierte Vertreter dieser Rasse in Deutschland. Er setzt sich für deren Förderung und vor allem für ihre Reinzucht ein und besteht aus über 1100 Mitgliedern (1997). Darüber hinaus ist der PHCG auch an der Förderung des Westernreitens interessiert.

Geschäftsstelle des PHCG:
PHCG
Hauptstraße 10
57632 Seelbach
Tel. 02685 / 8283
Fax 02685 / 1310

Appaloosa Horse Club Germany (ApHCG)
Der Appaloosa Horse Club Germany wurde 1981 gegründet. Jahrelang zählte der Verein nur 120 bis 150 Mitglieder. Seit 1991 ein eingetragener Verein, stieg die Mitgliedszahl rapide an und hat in der Zwischenzeit 750 Mitglieder (1997) überschritten.

Geschäftsstelle des ApHCG:
ApHCG
Ortsstraße 19
89356 Hafenhofen
Tel. 08222 / 7603
Fax 08222 / 7014

National Reining Horse Association of Germany (NRHA)
Die National Reining Horse Association of Germany wurde im Frühjahr 1987 gegründet. Sie ist der Fachverein für die Reining-Disziplin des Westernreitens. Es fanden sich damals ca. 30 Reining-Begeisterte aus ganz Deutschland zusammen und gründeten den Verein. Bei der NRHA sind alle Pferderassen zugelassen. Die Manöver einer Reining sind in neun verschiedenen Aufgaben (Pattern) zusammengefaßt und müssen auswendig geritten werden. Die NRHA veranstaltet zahlreiche eigene Turniere, in denen jeder Reiter seinen Möglichkeiten entsprechend starten kann. Von der Rookie-, also Anfängerklasse, bis hin zur Bronze-Throphy-Reining wird alles geboten.
Die NRHA ist stark im Aufwind begriffen. Anfang 1994 hatte sie noch 350 Mitglieder, Anfang 1995 allerdings schon 563 Mitglieder.

Geschäftsstelle NRHA:
NRHA
Amtsgarten 3
63916 Amorbach
Tel. 09373 /7100
Fax 09373 / 7190

National Cutting Horse Association (NCHA)

Geschäftsstelle NCHA:
NCHA
Lizzi Döring
Zechenstraße 17 - 25
45772 Marl
Tel. 02365 / 65062
Fax 02365/ 67276

Vereinigung der Freizeitreiter in Deutschland (VFD)
1973 gab es in den alten Bundesländern einen Entwurf zu einem Bundeswaldgesetz, welches das Reiten im Wald grundsätzlich untersagte. Am 13. April 1973 beriet der Bundesrat über diesen Gesetzesentwurf und verwies ihn, ohne Änderung der Reitverbotsklausel, an die Bundesregierung zurück.
Bis dahin hatte es nur in der unabhängigen Reiterpresse kritische und vor allem warnende Artikel gegen diese Benachteiligung der Reiter und Fahrer gegeben. Die traditionellen Reitverbände reagierten in keinster Weise, um die Belange derer, die nur „draußen" reiten und / oder fahren, zu vertreten.
Auf dieser Grundlage gründeten am 5.5.1973

sieben Personen in Beckum die Vereinigung der Freizeitreiter in Deutschland, unterstützt wiederum von der unabhängigen Reiterpresse. Die erste große Bewährungsprobe war im November 1973 beim Hearing für das Bundeswaldgesetz in Berlin, mit dem Erfolg, daß anstelle des Reit- und Fahrverbotes das generelle Betretungsrecht des Waldes auch für Reiter und Fahrer trat.
Die VFD hat sich die Aufgabe gestellt, das Freizeitreiten als Breitensport zu fördern, sich den Belangen der Erholung in der freien Landschaft zu widmen, die Interessen der Freizeitreiter und -fahrer wahrzunehmen und das Kulturgut Pferd zu pflegen.
Der Mitgliederstrom war so groß, daß es notwendig wurde, dem Bundesverband einen Unterbau in Form von Landes-, Bezirks- und Kreisverbänden zu geben, um so möglichst dicht am Ort des Geschehens zu sein.
Die VFD ist der einzige Verein, der sich als Hauptziel die Erhaltung der Reit- und Fahrmöglichkeiten in der freien Natur gesetzt hat.

Geschäftsstelle VFD:
VFD
Am Bauernwald 5b
81739 München
Te. 089 / 6011614

LITERATURVERZEICHNIS

Ahlswede, Lutz,
Handbuch Pferd,
BLV Verlag, 1995

Ainslie, Tom / Ledbetter, Bonnie,
So verstehen Sie Ihr Pferd,
BLV Verlag, 1980

Amaral, Anthony,
Junge Pferde selber schulen,
Müller Rüschlikon Verlag, 1977

Andrist, Friedrich,
Huf-, Horn- und Klauen-Pflege,
Deutsche Landwirtschafts-Gesellschafts-Verlags-GmbH, 1954

Baumann, Doris,
Pony-ABC,
Kierdorf Verlag, 1987

Bender, Ingolf,
Handbuch Offenstallhaltung,
Franckh Kosmos Verlag, 1992

Blake, Henry,
Mit Pferden denken - Pferde lenken,
Müller Rüschlikon Verlag, 1977

Blake, Henry,
Versteh Dein Pferd,
Müller Rüschlikon Verlag, 1975

Blake, Henry,
So lernt Dein Pferd,
Müller Rüschlikon Verlag, 1979

Blendinger, Wilhelm,
Gesundheitspflege und Erste Hilfe für das Pferd,
Paul Parey Verlag, 1980

Bruns, Ursula,
Reiten ohne Angst,
Georg Bitter Verlag, 1991

Bruns, Ursula / Tellington-Jones, Linda,
Die Tellington-Methode: So erzieht man sein Pferd,
Müller Rüschlikon Verlag, 1985

Close, Pat / Betts, Mona,
Ausbildung von Pferd und Reiter für das Western Turnier,
Siegmund Verlag, 1986

Diacont, Kerstin,
Umstellung auf das Westernreiten,
Kierdorf Verlag, 1986

Diacont, Kerstin,
Wanderreiten - aber richtig,
Kierdorf Verlag, 1988

Diacont Kerstin,
Das Westernpferd - der Westernreiter,
BLV, 1993

Dietz, Olof, Prof. Dr. sc. med. vet. / Wiesner, Ekkehard, Prof. Dr. sc. med. vet.,
Handbuch der Pferdekrankheiten I, II, III,
S. Karger Verlag, 1982

Dunning, Al,
Reining,
Siegmund Verlag, 1988
Dysli, Jean Claude / Tellington-Jones, Linda,
Hackamore Westernsattel,
freizeit im sattel, 1989

Emich, Gerd,
Naturheilkunde,
Ahnert Verlag, 1986

Ende, Helmut, Dr. med. vet.,
Die Stallapotheke,
Müller Rüschlikon Verlag, 1971

Ende, Helmut, Dr. med. vet. /
Leschke, Ute, Dr. med. vet.,
Was fehlt meinem Pferd?,
Müller Rüschlikon, 1979

EWU, Handbuch Westernreiten,
Reitabzeichen Bronze,
1993

Franke, Dr. Horst / Nicolay, Walter,
Pferdeställe,
Arbeitsgemeinschaft Landtechnik
und Bauwesen, 1973

Gohl, Christiane,
Entspannt Reiten,
Franckh Kosmos Verlag, 1992

Gramatzki, Dr. Fritz,
Handbuch Pferde,
Verlag H. Kamlage, 1977

Grone, Jutta von,
Die Pferdeweide,
Müller Rüschlikon Verlag, 1977

Harrel, Leon,
Cutting,
Kierdorf Verlag, 1991

Heck, Holger / Casper, Thomas,
So wird (fast) jede Stute tragend,
1989

Hempfling, Klaus Ferdinand,
Mit Pferden tanzen,
Franckh Kosmos Verlag, 1993

Hickmann, John,
Der richtige Hufbeschlag,
BLV Verlag, 1983

Hodenberg, Karola von,
Der Appaloosa,
Kierdorf Verlag, 1987

Hoffmann, Marlit,
Was tun mit jungen Pferden,
Müller Rüschlikon Verlag, 1978

Howell, Jane,
Fohlenaufzucht,
Franckh Kosmos Verlag, 1984

Junge, Maleen,
Pferde hinterm Haus,
Franckh Kosmos Verlag, 1992

Junge, Mike,
Westernpferde - Westerntraining,
Kierdorf Verlag, 1986

Kevil, Mike,
Jungpferde einreiten,
Kierdorf Verlag, 1993

Kiley-Worthington,
Pferdepsyche - Pferdeverhalten,
Müller Rüschlikon Verlag, 1987

Körber, Dr. Hans-Dieter,
Huf, Hufbeschlag, Hufkrankheiten,
Franckh Kosmos Verlag, 1981

Kraupa-Tuskany, Herta F.,
Glück in fremden Sätteln,
Limpert Verlag, 1985

Kreinberg, Peter,
Handbuch für das Westernreiten 1,
Siegmund Verlag

Lengwenat, Dipl.- Ing. agr.,
Was braucht mein Pferd?,
Landwirtschaftsverlag Weser-Ems, 1987

Löwe, Prof. Dr. Hans /
Meyer, Prof. Dr. Helmut,
Pferdezucht und Pferdefütterung,
Verlag Eugen Ulmer, 1979

Loomis, Bob,
Reining,
Kierdorf Verlag, 1991

Macleod Dr. med. vet. G.,
Pferdekrankheiten - homöopathisch behandelt,
WBV Biologisch-Medizinische
Verlagsgesellschaft, 1977

Marrable A. W. / Wißdorf H.,
Die Trächtigkeit der Stute,
Verlag M. & H. Schaper Hannover, 1982

May, Chris,
Pferdehaltung,
Müller Rüschlikon Verlag, 1990

Mayhew, Bob,
Die Kunst des Westernreitens,
Franckh Kosmos Verlag, 1992

Montes, Leopoldo F. / Vaughan, J. Thomas,
Atlas der Hauterkrankungen des Pferdes,
Schlütersche Verlagsanstalt, 1985

Niemack, Horst,
Studie über die Gangarten des Pferdes,
Deutsche Richtervereinigung für
Pferdeleistungsprüfungen, 1970

Oelke, Hardy,
Westerntraining,
Kierdorf Verlag, 1989

Oelke, Hardy,
Das Paint Horse,
Kierdorf Verlag, 1987

Oelke, Hardy,
Das Quarter Horse,
Kierdorf Verlag, 1987

Parslow, Sue,
Distanzreiten,
Müller Rüschlikon Verlag, 1989

Penquitt, Claus,
Die Freizeitreiter-Akademie,
Franckh Kosmos Verlag, 1993

Pick Dr. med. vet. M.,
Handbuch der Pferdekrankheiten,
Franckh Kosmos Verlag, 1974

Richardson, Julie,
Zaumzeug, Sattel und Geschirr,
Müller Rüschlikon Verlag, 1982

Rödder, Fritz,
Ohne Huf kein Pferd,
Müller Rüschlikon Verlag, 1977

Rödder, Fritz,
Gesunder Huf, gesundes Pferd,
Müller Rüschlikon Verlag, 1982

Rmaszkan, Gregor von,
Reiten lernen,
Müller Rüschlikon Verlag, 1957

Rossdale, Peter,
Pferdepraxis,
Enke Verlag, 1981

Schmidt-Basler, Ursula,
Pferde aus Licht und Schatten,
Parey Verlag, 1992

Schrenk, Hans-Jörg,
Pferde verstehen,
Franckh Kosmos Verlag, 1990

Seunig, Waldemar,
Am Pulsschlag der Reitkunst,
Erich Hoffmann Verlag, 1961

Shrake, Richard,
Western Horsemanship,
Kierdorf Verlag, 1990

Spielberger, Dr. med. vet. U. /
Schaette, Dr. rer. nat.,
Biologische Stallapotheke,
Verlag Lebendige Erde, 1986

Steigle, O. G.,
Handbuch des Gelände- und Wanderreiters,
Franckh Kosmos Verlag 1989

Strasser, Hiltrud,
Ein Pferdeleben lang gesund,
Beate Danker Verlag, 1989

Swift, Sally,
Reiten aus der Körpermitte,
Albert Müller Verlag,
Müller Rüschlikon Verlag, 1989

Townley, Audrey,
Reiten mit Gefühl,
Franckh Kosmos Verlag, 1992

Unkel, Marion,
Das Sommerekzem,
Kierdorf Verlag, 1987

Von der Sode, Marie Luise,
Kenne ich mein Pferd?,
Franckh Kosmos Verlag, 1992

Wintzer, Hans-Jürgen,
Krankheiten des Pferdes,
Paul Parey Verlag, 1982

Wolter, H.,
Homöopathie für Tierärzte 1,
Schlütersche Verlagsanstalt, 1980

REGISTER

CADMOS REITERPRAXIS:
........von vorne bis hinten
praktisch
die neue
Buchreihe
von Cadmos
WESTERN
29,90
Freizeitreiten im Westernstyle
144 Seiten, farbige Abbildungen
ISBN 3-86127-502-3
DER GAUL MACHT NICHT MIT
VON PROBLEMEN UND LÖSUNGEN
IN FRAGE UND ANTWORT
Von Problemen und Lösungen
in Frage und Antwort
80 Seiten, farbige Abbildungen
ISBN 3-86127-505-8
19,90
NIKOLA FERSING
GELD- UND ZEITSPARTIPS FÜR PFERDELEUTE
19,90
Tips zum Sparen
rund um's Pferd
96 Seiten,
farbige Abbildungen
ISBN 3-86127-503-1
ANGELIKA SCHMELZER
UMGANG MIT HENGSTEN
19,90
Ratschläge zu
Erziehung, Haltung
sowie Zucht
80 Seiten,
farbige Abbildungen
ISBN 3-86127-501-5
HEIKE GROSS
ALTE UND UNREITBARE PFERDE
RICHTIG PFLEGEN ERNÄHREN BESCHÄFTIGEN
19,90
Richtige Pflege,
Ernährung
und Beschäftigung
112 Seiten,
farbige Abbildungen
ISBN 3-86127-504-X
CADMOS PFERDEBÜCHER
Erhältlich im Buchhandel oder Reitsportfachhandel
CADMOS Verlag • Lüner Rennbahn 14 • D-21339 Lüneburg
Telefon 04131 / 981666 • Fax 04131 / 981668